Marie de l'Incarnation, une femme à découvrir

Hélène Bélanger

MARIE DE L'INCARNATION, UNE FEMME À DÉCOUVRIR

MÉDIASPAUL

Médiaspaul reconnaît l'aide financière du Gouvernement du Canada par l'entremise du Fonds du livre du Canada (FLC), du Conseil des Arts du Canada et de la Société de développement des entreprises culturelles du Québec (SODEC) pour ses activités d'édition.

 Patrimoine canadien Canadian Heritage

 Patrimoine canadien Canadian Heritage

Société de développement des entreprises culturelles Québec

Catalogage avant publication de Bibliothèque et Archives nationales du Québec et Bibliothèque et Archives Canada

Bélanger, Hélène, 1930-

Marie de l'Incarnation, une femme à découvrir

Comprend des réf. bibliogr.

ISBN 978-2-89420-874-8

1. Marie de l'Incarnation, mère, 1599-1672. 2. Ursulines de Québec – Biographies. 3. Religieuses – Québec (Province) – Biographies. 4. Canada – Histoire – Jusqu'à 1663 (Nouvelle-France). I. Titre.

BX4705.M36B44 2011 271'.97402 C2011-941349-3

Composition et mise en page : *Médiaspaul*

Maquette de la couverture : *Fabienne Prieur*

Illustration de la couverture : *Arrivée à Québec des Ursulines et des Augustines le 1er août 1639. Huile sur toile, 1928*

ISBN 978-2-89420-874-8

Dépôt légal — 3e trimestre 2011
Bibliothèque et Archives nationales du Québec
Bibliothèque et Archives Canada

 Médiaspaul
3965, boul. Henri-Bourassa Est
Montréal, QC, H1H 1L1 (Canada)
www.mediaspaul.qc.ca
mediaspaul@mediaspaul.qc.ca

Médiaspaul
48, rue du Four
75006 Paris (France)
distribution@mediaspaul.fr

Imprimé au Canada — Printed in Canada

PRÉSENTATION

Ces pages souhaitent nous faire contempler et accueillir l'héritage d'une mère à son fils, comme on admire et savoure les fruits d'un arbre planté au bord d'un fleuve d'eau vive.

Puissions-nous nous émerveiller en découvrant les traces d'une lumière qui vient d'un ailleurs tout aussi attirant que mystérieux. Laisser émerger le visage humain d'une femme particulièrement douée, engagée et autonome. Découvrir les traits d'une mystique qui s'absente avec son divin Bien-Aimé sans quitter ses interlocuteurs. Explorer chez cette croyante ce désir de lumière et d'amour qui habite tous les humains. Emprunter un sentier qui achemine vers une source d'eau vive.

Marie Guyart, Madame Claude Martin, Marie de l'Incarnation : une grande œuvre humaine et spirituelle, une existence déployée en des tableaux de toute beauté. L'ayant créée et amoureusement sculptée, l'Artiste divin la choisit comme épouse bien-aimée. Elle a quitté son très cher fils, en lui demeurant particulièrement proche.

Nous souhaitons prendre le temps d'écouter et de côtoyer cette grande Dame, simplement.

Hélène Bélanger, o.s.u.

1
NAISSANCE ET ÉDUCATION FAMILIALE

Lieu de naissance

En France, au XVIe siècle, à la hauteur de Tours, le port de la Loire est achalandé. Les rives du fleuve sont enjolivées des nombreux châteaux de la cour royale. Par eau et par terre, le va-et-vient des transporteurs procure des emplois aux gens de la région.

Pour les Tourangeaux, le tissage de la soie constitue un commerce florissant. Quand les Grands descendent de Paris pour profiter de leurs résidences secondaires, les tisserands reçoivent alors une manne de riches clients. Par ailleurs, des guerres sont l'occasion d'une situation difficile pour les commerçants, car tout ce beau monde se replie dans les résidences royales parisiennes. Rois, reines et princesses vivent alors bien d'autres préoccupations que de se vêtir de soie ou de décorer leurs châteaux de tapisseries brodées à la main.

Éducation reçue des parents Guyart

Le 28 octobre 1599, Marie Guyart naît à Tours. Du mariage de Florent Guyart, maître-boulanger, et de Jeanne Michelet, une quatrième fille, Marie, s'ajoute à une famille qui comptera huit enfants : quatre garçons et quatre filles.

Qui sera cette enfant ? Ses parents ne peuvent absolument pas se douter alors combien leur fille est porteuse des germes d'une riche personnalité et d'un avenir hors du commun. Le temps révélera son intelligence pénétrante, sa force de caractère, une vie spirituelle et mystique solide et profonde, jusqu'à des engagements périlleux au-delà de l'océan.

Chez les Guyart, l'éducation parentale s'enracine dans un terreau chrétien. En toute modestie, « en présence du Père qui voit dans le secret[1] », le témoignage de vie des parents constitue un facteur déterminant dans l'éducation de leurs enfants. Ces gens de foi cultivent au cœur de leur fille la bonne terre dans laquelle la grâce répandra une semence généreuse. Depuis plus de quatre siècles, et dans un rayonnement universel, des gens simples, comme des savants, s'émerveillent des fruits abondants donnés à découvrir et à savourer dans la vie de Marie de l'Incarnation.

Plus tard, Marie écrit une appréciation éloquente de l'éducation reçue :

---

[1] Mt 6, 6.

Il est vrai que la bonne éducation que j'avais eue de mes parents, qui étaient de bons chrétiens et fort pieux, avait fait un bon fonds dans mon âme pour toutes les choses du christianisme et pour les bonnes mœurs ; et lorsque j'y fais réflexion, je bénis Dieu des grâces qu'il lui a plu me faire en ce point, d'autant que c'est une grande disposition pour la vertu et pour être vraiment disposée à une vocation de haute pureté[2].

À mission particulière, grâce spéciale

Une nuit de sa petite enfance, Marie bénéficie d'une visite du ciel. Habituellement, un rêve s'oublie. Le songe, lui, porte un message inoubliable, du moins selon des récits bibliques.

Marie vit un songe dont elle ne mesure pas, à son âge, tout le sérieux. Aussi, à son réveil, le raconte-t-elle à qui veut l'entendre. Plus tard, en 1633 et en 1654, rappelant cette expérience dans des comptes rendus de sa vie spirituelle, elle en révélera les profonds et durables effets. Notons qu'elle écrit dans la langue française de son siècle[3].

---

[2] Dom Albert JAMET, *Le Témoignage de Marie de l'Incarnation, Ursuline de Tours et de Québec*, texte préparé et publié avec une Introduction par dom Jamet, Gabriel Beauchesne, 1932, p. 6. (Par la suite, nous citerons la référence par *Témoignage*.)

[3] Pour faciliter la lecture, tout au long du présent texte, des citations en français classique ont été quelque peu modifiées en français moderne par l'auteure.

Dès mon enfance, la divine Majesté voulant mettre des dispositions dans mon âme pour la rendre son temple et le réceptacle de ses miséricordieuses faveurs, je n'avais environ que sept ans, qu'une nuit, en mon sommeil, il me sembla que j'étais dans une cour d'école champêtre, avec quelqu'une de mes compagnes, où je faisais quelque action innocente. Ayant les yeux levés vers le ciel, je le vis ouvert, et Notre Seigneur Jésus Christ, en forme humaine, en sortir, et qui par l'air venait à moi, qui, le voyant, m'écriai à ma compagne : « Ah ! Voilà Notre Seigneur ! C'est à moi qu'il vient ! » Et il me semblait que, cette fille ayant commis une imperfection, il m'avait choisie plutôt qu'elle, qui était néanmoins bonne fille. Mais il y avait un secret que je ne connaissais pas.

Cette suradorable Majesté s'approchant de moi, mon cœur se sentit tout embrasé de son amour. Je commençai à étendre mes bras pour l'embrasser. Alors, lui, le plus beau des enfants des hommes, avec un visage plein d'une douceur et d'un attrait indicibles, m'embrassant et me baisant amoureusement, me dit : « Voulez-vous être à moi ? » Je lui répondis : « Oui. » Alors, ayant ouï mon consentement, nous le vîmes remonter au ciel.

Après mon réveil, mon cœur se sentit si ravi de cette insigne faveur que je la racontais naïvement à ceux qui voulaient m'écouter. Surtout les paroles de Notre Seigneur me demeurèrent tellement imprimées dans l'esprit qu'elles n'en sont jamais sorties, et quoique j'eusse vu son Humanité sacrée, je n'en pus rien retenir de particulier, tant ses paroles m'avaient charmée et avaient attiré l'application de mon esprit par sa douceur[4].

[4] *Ibid.*, p. 1 et 2.

« Il y avait un secret que je ne connaissais pas. » À ce moment-là ! Ses expériences de vie, le recul du temps et surtout les Paroles de Dieu qui se font entendre dans son cœur lors d'événements importants, lèvent le voile sur ce mystérieux « secret ». Les confidences de Marie ont l'avantage de nous apprendre, en même temps, la pédagogie de Dieu dans le dévoilement de ses volontés sur chaque être humain.

Le noyau de ce songe tient dans une demande et une réponse. Le Seigneur invite : « Voulez-vous être à moi ? » « Oui ! » Marie ne remet jamais ce fait en question : à ses yeux, la demande est réelle et l'engagement, pour la vie. Au réveil, ce qui lui demeure présent et indélébile, c'est la beauté et la douceur de Jésus et de sa Parole. À la façon d'un réceptacle, le Seigneur façonne déjà le cœur de Marie et le dispose à recevoir la semence de ses faveurs.

Dans la relecture de son enfance et de son adolescence, Marie discerne des effets concrets de ce merveilleux songe. D'abord « une pente au bien ». Notre Seigneur laisse en elle une empreinte vivante de lui-même, « lui qui passait en faisant le bien[5] ». Marie s'engage dès lors dans ce mouvement de l'Esprit saint en elle : « Tout le bien que je voyais, je le faisais, même sans me faire violence, parce que la douceur de l'attrait de l'Esprit de Dieu m'était incomparablement plus suave que tout ce que je voyais ailleurs[6]. »

---

[5] Ac 10, 38.

[6] *Témoignage*, p. 3.

Marie retient un autre effet de ce songe : le goût de la relation à Dieu dans la prière. La présence de l'Esprit de Jésus éduque Marie à la prière selon le modèle décrit dans l'Évangile. Jésus se retirait à l'écart pour prier[7]. Et le Maître a laissé ce conseil : « Quand tu veux prier, retire-toi dans ta chambre, ferme la porte et prie ton Père dans le secret, il te le revaudra[8]. »

Marie décrit la prière de son enfance :

> Je me sentais attirée à traiter de mes petits besoins avec Notre Seigneur ce que je faisais avec une très grande simplicité, ne me pouvant imaginer qu'il eût voulu refuser ce qu'on lui demandait humblement. [...] Je me retirais parfois pour prier, poussée par l'esprit intérieur, sans toutefois savoir ni penser ce que c'était qu'esprit intérieur, n'en sachant pas seulement le nom. Mais la bonté de Dieu me conduisait comme cela[9].

La charité s'incruste au cœur de l'enfant, si bien que les pauvres et les malades deviennent ses préférés.

> J'aimais tant les pauvres que c'étaient ceux-là avec qui je me plaisais le plus. Ils me faisaient tant de compassion que je me fusse donnée pour eux. Cela me faisait commettre de grandes imperfections, parce que tout ce que je trouvais au logis de mon père, je le leur donnais, [...] mais je pensais bien faire.

---

[7] Voir Lc 9, 18.
[8] Mt 6, 6.
[9] *Témoignage*, p. 2.

Une fois, j'avais alors environ huit ou neuf ans, en leur faveur, Notre Seigneur me fit une grande grâce. Car, comme je me trouvai proche d'une charrette que des hommes déchargeaient par derrière, et comme ils ne me voyaient pas, ma robe s'étant accrochée au timon, ils m'enlevèrent fort haut et me laissèrent tomber d'une grande raideur sur le pavé. Ils demeurèrent transis, croyant que je serais toute écrasée à cause de la hauteur des timons. Mais je n'eus aucun mal, et je crus sur l'heure que Notre Seigneur m'avait préservée à cause de ses pauvres.
Je ne saurais dire comme je les aimais, et le ressentiment que j'avais quand on leur refusait l'aumône m'était fort sensible. J'avais les mêmes sentiments pour les malades que je servais autant que mes forces se pouvaient étendre. [...] Cela faisait que ceux qui savaient mon inclination disaient que j'étais née pour la charité[10].

La prière et la charité envers les pauvres créent des liens de plus en plus étroits entre Marie et le Seigneur Jésus. Aussi, à la lumière divine, l'adolescente reconnaît ses propres limites : elle n'est pas parfaite. De plus, lors de ses confessions sacramentelles, elle hésite sur l'aveu de certaines « enfances et puérilités ».

Je n'osais pas, j'avais honte, et je ne croyais pas avoir jamais offensé Dieu en cette matière. Je contrariais l'Esprit de Dieu, la divine Majesté voulait que je fisse cas de tout[11]. Lorsque je me confessais, je me trouvais

---

[10] *Ibid.*, p. 3.
[11] Voir *Témoignage*, p. 3.

bien juste, et mon esprit avait de la satisfaction d'une confession à l'autre[12].

Chez elle, apparaît une juste notion du péché puisqu'elle écrit : « ayant ouï dire qu'il n'y avait péché que ce que l'on croyait tel en le commettant ». Ainsi, l'Esprit saint, qui est Amour, enseigne à Marie des critères de discernement en rendant sa conscience mieux éclairée et plus attentive. La jeune fille apprend alors que la loi de la morale et la loi de l'amour offrent des balises fort différentes dans l'évaluation des actes humains, car l'amour raffine le cœur qui, dès lors, se refuse à s'en tenir au permis et au défendu.

Dans ses écrits, Marie emploie souvent le mot « pureté » pour dire son expérience. Par là, elle signale la qualité de transparence requise et recherchée par elle dans sa relation à Dieu.

> Notre Seigneur voulait de moi une pureté que je ne connaissais pas, non plus que la fin pour laquelle il la voulait[13].
>
> Je trouvais ma vie dans la fréquentation des sacrements, dans l'assiduité d'entendre des sermons, dans la pénitence et dans la solitude où la miséricorde divine me faisait expérimenter l'effet de ces paroles : « Je la mènerai dans la solitude et là je parlerai à son cœur[14]. » « Je veux l'attirer et la conduire au désert[15]. »

---

[12] *Témoignage*, p. 11.
[13] *Ibid.*
[14] *Ibid.*, p. 18.
[15] Os 2, 16.

> Dieu me donnait de grandes lumières dans cette assiduité à écouter la Parole [...] et mon cœur en était embrasé, ce qui me faisait parler à lui d'une façon intérieure qui m'était nouvelle et inconnue[16].

Tout au long de sa vie, des passages bibliques éclairent son chemin et la confirment dans ses décisions, comme si, pour elle, s'actualisait ce verset du Psaume : « Une lampe pour mes pas ta Parole, une lumière sur ma route[17]. »

Est-ce un fruit du songe de ses sept ans, où elle avait bien acquiescé de tout son cœur à la proposition de Notre Seigneur d'être toute à lui ? Marie raconte la confidence qu'elle fait à sa mère de son désir de devenir religieuse.

> Environ l'âge de quatorze ou quinze ans, j'avais beaucoup d'inclination à être religieuse, et les mouvements que j'en sentais étaient fréquents. Il n'y avait pour lors à Tours que le Monastère de Beaumont, de l'Ordre de Saint-Benoît, qui me fût connu, parce que j'y allais quelquefois par dévotion. Je proposai mon désir à ma mère, qui ne me rebuta pas, mais plutôt elle m'applaudit. [...]
> L'affaire néanmoins en demeura là, et moi, qui étais fort craintive, je n'osai insister, sinon que j'exposai simplement mon désir. J'ai cru depuis que ma mère ne me croyait pas propre pour le couvent, parce qu'elle me voyait d'une humeur gaie et agréable qu'elle estimait peut-être incompatible avec la vertu de religion.

---

16 *Témoignage*, p. 9.
17 Ps 119, 105.

> Mais plutôt il m'est évident que la bonté de Dieu ne me voulait pas là ni pour lors en quelque religion que ce fût, eu égard à tout ce qui m'est arrivé depuis, dans le cours du temps, de sa divine Providence sur moi. Il fallait que je fusse engagée dans les croix du mariage. [...] Je me laissai conduire à l'aveugle par mes parents, qui, par la Providence de Dieu ne m'engagèrent pas à des partis qui me recherchaient[18].

En 1633, à la demande de son accompagnateur spirituel du moment, et en 1654, sur l'insistance de son fils, Claude, Marie écrit l'histoire de sa vie intérieure. Nous constatons que ses expériences l'ont conduite à voir différemment les événements antérieurs de son vécu. La vie religieuse, pour elle, à ce moment-là, n'était pas selon les plans de Dieu. « Il fallait que je fusse engagée dans les croix du mariage[19]. »

---

[18] *Témoignage*, p. 4.

[19] *Ibid.*

2

DE JEUNE FILLE À ÉPOUSE ET MÈRE

Afin de mieux cerner la situation familiale et sociale dans laquelle Marie se trouve, il semble opportun de considérer quelques aspects de la vie à son époque. Au XVIe siècle, l'enfant n'est pas particulièrement ménagé et l'enfance ne se prolonge pas plus que l'adolescence ne s'étire indûment. Déjà, vers l'âge de douze ans, le garçon est dirigé vers une école de métiers, ou bien il part pour le collège si son talent et les moyens de ses parents le permettent.

Les mariages se contractent habituellement alors que les époux sont encore, pour nous, des adolescents. La responsabilité parentale se présente souvent avant la vingtaine. Notons aussi qu'au niveau religieux, l'austérité et les pénitences sont parfois prônées comme une nécessité de salut. Ces quelques aspects sociaux devraient nous garder du risque d'une interprétation sévère de certaines décisions parentales ou personnelles de cette époque-là et auxquelles Marie s'est soumise.

Conditions de vie de Marie dans le mariage

Cette jeune fille douée et bien éduquée ne passe pas inaperçue : des jeunes hommes ont l'œil sur elle et la souhaitent pour épouse. Marie n'est pas naïve. C'est bien ce qu'elle laisse entendre : « Je me laissai conduire à l'aveugle par mes parents qui, par la Providence de Dieu, ne m'engagèrent pas à des partis qui me recherchaient[1]. » En 1617, ses parents la marient à Claude Martin, un « soyeux », maître-ouvrier en tissage de la soie. Plus tard, son fils révèle une confidence de sa mère :

> Elle y consentit néanmoins par une crainte respectueuse qu'elle avait toujours eue pour ses parents, et qui l'avait portée à leur obéir en toutes choses, comme à Dieu même. Mais quand sa mère lui en apporta la nouvelle, sa fille lui dit ces paroles : « Ma Mère, puisque c'est une résolution prise, et que mon Père le veut absolument, je me crois obligée d'obéir à sa volonté et à la vôtre, mais si Dieu me fait la grâce de me donner un fils, je lui promets dès à présent de le consacrer à son service, et si ensuite, il me rend la liberté que je vais perdre, je lui promets encore de m'y consacrer moi-même. »
> Ces paroles, qui ont été comme une Prophétie de ce qui est arrivé depuis, s'accordent avec ce qu'elle m'a écrit longtemps après[2].

---

[1] *Ibid.*

[2] Dom Claude MARTIN, *La vie de la vénérable Mère Marie de l'Incarnation*, reproduction de l'édition originale de 1677 préparée par les moines de Solesmes, 1981, p. 9.

La mère de Claude est hébergée par le jeune couple. De plus, il arrive que « le maître d'une fabrique prend au service de son commerce et dans sa maison les femmes et les enfants de ses compagnons. Traditionnellement, ceux-ci travaillent au même métier que leur père ou que leur mari, les femmes étant utilisées de préférence pour le travail de broderie sur les pièces tissées[3] ». Marie, la jeune épouse, initie sans doute des dames à la broderie, un art dans lequel elle excelle.

Marie goûte d'abord les petites libertés et passe-temps qui lui étaient déniés dans la maison paternelle. Elle lit un certain nombre de romans qui traitent de choses vaines[4]. Bientôt, elle cesse ce genre de lecture, non par remords et scrupule, mais elle la considère comme une perte de temps. De plus, son évolution spirituelle lui en fait entièrement perdre l'affection et l'inclination. « Dieu me donna un esprit de retraite qui, m'occupant intérieurement dans l'amour d'un bien que j'ignorais, me faisait quitter la hantise des personnes de mon âge pour demeurer seule dans la maison à lire des livres de piété[5]. »

À moins de dix-huit ans, la jeune femme se retrouve tout à la fois épouse, maîtresse de maison et collaboratrice à l'entreprise familiale. Malgré les diverses et nombreuses activités de ses journées, Marie conserve l'habitude de la prière et de la messe quotidienne.

---

[3] Dom Guy-Marie Oury, *Marie de l'Incarnation*, t. I, Les presses de l'Université Laval/Abbaye Saint-Pierre de Solesmes, 1973, p. 34.

[4] Voir *Témoignage*, p. 5.

[5] *Ibid.*

Tout notre voisinage était étonné et ne pouvait-on comprendre cette grande retraite et inclination que j'avais d'aller à l'église chaque jour. L'on ne voyait pas ce que j'expérimentais dans l'intérieur et comme la bonté de Notre Seigneur y opérait ; et moi non plus je ne concevais pas comme cela se faisait, sinon que je suivais son trait dans l'oraison et lui obéissais pour suivre les vertus dont il faisait naître l'occasion[6].

Naissance d'un enfant

Le 2 avril 1619, Marie donne naissance à un garçon. L'enfant est baptisé le 5 avril sous le même nom que son père, Claude Martin. Comme il est fréquent à cette époque, la jeune mère place son petit Claude en nourrice. L'instinct maternel la porte à se rendre voir son fils chaque fois qu'il lui est possible. Très tôt, elle désire ce qui lui semble le meilleur pour son enfant et veille à son éducation. « Vous n'aviez pas encore vu le jour que mon ambition pour vous était que vous fussiez serviteur de Jésus Christ et tout dévoué à ses divins conseils, aux dépens de votre vie et de la mienne[7]. »

Nuages sur le foyer des Martin

Les joies de la naissance de l'enfant sont bientôt éclipsées par différents facteurs sociaux et familiaux. En

---

[6] *Ibid.*

[7] Dom Guy-Marie Oury, *Marie de l'Incarnation. Ursuline, 1599-1672. Correspondance*, Lettre à son fils, 16 septembre 1661, p. 658. (Par la suite, nous citerons la référence par *Correspondance*.)

Touraine, à cause des guerres, le commerce du tissage de la soie perd de son élan. Certes, Claude fait confiance à son épouse particulièrement douée pour les affaires. Même s'il lui partage la gérance du commerce, la faillite devient inévitable.

Une autre circonstance, plus intimement douloureuse encore, se présente dans l'existence du couple Martin. La jalousie d'une femme contribue à ébranler le jeune époux et à chagriner l'épouse. À mots couverts, Marie admet avoir vécu des difficultés, mais la charité chrétienne lui demande d'être discrète à ce sujet. Devenu adulte, Claude, son fils, apprend par la parenté ou le voisinage, les faits qui, peu de temps après sa naissance, ont perturbé la vie de ses parents. Avec presque autant de retenue que sa mère, Claude insinue des choses qui étaient arrivées par surprise et dont le maître-ouvrier était involontairement responsable. Sa mère lui avait confié à propos de son père : « Il en avait tant de douleur qu'il m'en a souvent demandé pardon[8]. »

> Elle commença d'être persécutée lorsqu'elle était encore dans le mariage car Dieu permit qu'une certaine femme lui suscitât et à son mari aussi toutes les persécutions et toutes les affaires dont elle se put aviser, et elle réussit si bien qu'elle fut enfin l'instrument dont Dieu se servit pour les dépouiller de tous leurs biens.
>
> Notre bonne mère porta avec patience son affliction venant de la main de la Providence qui ne la voulait

[8] Voir dom Claude MARTIN, *La vie de la vénérable Mère Marie de l'Incarnation*, p. 16.

> riche que des biens de la grâce. Elle fit bien davantage [...] elle rendit à cette femme des services qu'on ne peut attendre que des plus parfaits amis[9].

L'ennemie des Martin est donc, en plus, impliquée dans leur faillite. Prise de regret et de panique, la malheureuse croit se soustraire aux conséquences de ses agissements en se suicidant. Dans cette attitude d'un rare courage, Marie nous dit quelque chose de son cheminement humain et spirituel et sur le sens du pardon en particulier. Elle puise sa motivation dans l'exemple de Jésus et peut-être aussi dans l'enseignement de saint Paul. Selon lui, c'est pour nous libérer du fardeau d'un remboursement impossible que « le Christ sur la croix a déchiré le billet de la dette de nos péchés[10] ».

Décès de son mari et de sa belle-mère

> J'avais pour lors dix-neuf ans, auquel temps Notre Seigneur fit une séparation, appelant à soi la personne avec laquelle, par sa permission, j'avais été liée.
> Me voyant libre, je sentis en moi une très grande aversion du mariage. Cela provenait de ce que le fonds que Dieu me donnait et de ce que l'Esprit de grâce par lequel il me conduisait était incompatible avec d'autres liens que ceux de son saint amour[11].

---

[9] *Ibid.*, p. 638.
[10] Voir 2 Col 2, 14.
[11] *Témoignage*, p. 11.

Marie n'est pas au bout de ses peines :

> Diverses affaires qui suivirent cette séparation m'apportèrent de nouvelles croix, et naturellement plus grandes qu'une personne de mon sexe, de mon âge et de ma capacité les eût pu porter. Mais les excès de la Bonté divine mirent une force et un courage dans mon esprit et dans mon cœur, qui me fit porter le tout. Mon appui était fondé sur ces paroles saintes : « Je suis avec ceux qui sont dans la tribulation[12]. »
> Mon esprit était sans expérience humaine, mais l'Esprit qui m'occupait intérieurement, me remplissant de foi, d'espérance et de confiance, me faisait venir à bout de tout ce que j'entreprenais[13].

Marie vit le deuil de son mari et devient le soutien de sa belle-mère qui, du même coup, a perdu son fils unique. Chez cette dame, le deuil se double d'une inquiétude pour son avenir :

> Ma belle-mère, voyant son fils unique mort, eut une si grande crainte que je la quittasse qu'elle en mourut un mois après : ce que je n'eusse pas fait, d'autant que j'étais résolue de lui tenir compagnie et de l'assister autant qu'il eût plu à la divine Bonté me le permettre, en élevant mon fils. Mais elle en ordonna autrement pour mon bien et celui de mon fils, parce que cela m'aurait engagée dans le trafic et mise en danger, dans la jeunesse où j'étais, de

[12] Ps 90, 15.
[13] *Témoignage*, p. 12.

ne pas suivre la route par laquelle Notre Seigneur nous voulait conduire, lui et moi[14].

Toute unie à Dieu et spirituelle qu'elle est, Marie n'en est pas moins une femme touchée par le départ d'un époux qu'elle a estimé et aimé. Elle ressent aussi, sans doute, le vide qui suit la perte de cette présence importante, celle de la mère de son mari.

C'est dans la confiance en Dieu qu'elle accueille la vie qui continue son cours. Elle prend donc courageusement la tête de la fabrique de soie qui périclite, elle règle les procès en cours et les dettes accumulées. Même si les problèmes financiers se résolvent en partie, il lui reste tant à faire, surtout qu'elle se retrouve sans le sou avec la responsabilité d'un jeune enfant.

Cette situation de solitude et de pauvreté matérielle ne conduit la jeune femme ni à un état dépressif, ni à un comportement possessif de son fils. Dès qu'il est en âge de comprendre, elle a la sagesse de lui parler de son père. Ainsi, le jeune Claude peut conserver une image paternelle d'un homme bon et croyant.

Proposition de remariage

Par une occasion qui se présenta, je raisonnais si je ne retournerais pas dans la route du monde et dans la condition de laquelle vous [Notre Seigneur] m'aviez délivrée. La tentation [...] sous une raison trompeuse et

[14] *Témoignage*, p. 11 et 12.

> comme nécessaire à cause des affaires que mon mari m'avait laissées sur les bras [...] m'ébranla et me pensa emporter[15]. Elle avait donné tant de preuves de sa vertu, de son grand esprit et de son bon naturel tout le temps de son premier engagement, qu'elle ne fut pas longtemps sans être recherchée par des partis très avantageux qui lui faisaient espérer une fortune plus favorable que n'avait été celle de son premier mariage. Et d'ailleurs ceux avec lesquels elle avait eu des affaires, ayant reconnu l'intégrité qu'elle avait fait paraître en traitant avec eux, entreprirent de la relever et de lui faire toutes les avances nécessaires pour son rétablissement[16].

Le voisinage de Marie admire son courage dans l'épreuve, et son habileté dans les affaires est de notoriété publique. Aussi, il s'en trouve pour l'encourager à se remarier. Lorsque Claude fut d'âge à saisir les enjeux dans lesquels sa mère était alors placée, son admiration filiale grandit et demeura toute vive quand, plus tard, il rédigea sa vie.

> Elle se trouva un jour si pressée et si accablée de raisons, fondées principalement sur sa jeunesse, sur l'âge de son fils, qui était encore dans l'enfance, sur la capacité de ses biens, et sur la volonté présente que ses amis avaient de l'aider, qu'elle hésita un peu, si elle ne devait pas plutôt suivre le conseil de tant de personnes désintéressées que les lumières de son propre esprit. Mais elle revint aussitôt à soi[17].

---

[15] Dom Claude Martin, *Écrits spirituels et historiques. La Relation de 1654*, t. II, réédités par dom Albert Jamet, Paris, Desclée de Brouwer, 1930, p. 383.

[16] Dom Claude Martin, *La vie de la vénérable Mère Marie de l'Incarnation*, p. 24.

[17] *Ibid.*, p. 24-25.

Confiante en la Providence, Marie décide de rester fidèle à elle-même dans son désir d'être toute à Dieu. Elle met fin aux conseils qui fusent autour d'elle et refuse les propositions de remariage. Plus encore, pour raffermir sa décision et étant approuvée par son directeur spirituel, elle fait vœu de chasteté. « Notre Seigneur me fit de grandes grâces par ce sacrifice, me fortifiant puissamment contre les poursuites qu'on me faisait de me remettre dans l'engagement duquel sa divine Bonté m'avait délivrée. J'avais vingt et un an[18]. »

Expérience spirituelle

Marie n'a pas tout à fait terminé les affaires conséquentes au décès de son conjoint quand, le 24 mars 1620, il lui survient une expérience étonnante et mystérieuse. Étant donné l'impact de ce fait dans son devenir spirituel, nous en suivons la longue et saisissante description qu'elle en fait à son fils en 1654.

> Un matin que j'allais vaquer à mes affaires, que je recommandais instamment à Dieu avec mon aspiration ordinaire, « En Toi, Seigneur, j'ai mis mon espérance, je ne serai pas confondu éternellement[19] », que j'avais gravée en mon esprit avec une certitude de foi qu'il m'assisterait infailliblement, en cheminant, je fus arrêtée subitement, intérieurement et extérieurement, comme j'étais dans ces pensées, qui me furent ôtées de la mémoire par cet arrêt si subit.

---

[18] *Témoignage*, p. 21.

[19] Ps 25, 3.

Lors, en un moment, les yeux de mon esprit furent ouverts et toutes les fautes, péchés et imperfections que j'avais commises depuis que j'étais au monde, me furent représentées en gros et en détail, avec une clarté et distinction plus certaine que toute certitude que l'industrie [intelligence] humaine pourrait exprimer.
Au même moment, je me vis toute plongée en du sang, et mon esprit fut convaincu que ce sang était le Sang du Fils de Dieu, de l'effusion duquel j'étais coupable par tous les péchés qui m'étaient représentés, et que ce Sang précieux avait été répandu pour mon salut. [...] Si la bonté de Dieu ne m'eût soutenue, je crois que je fusse morte de frayeur, tant la vue du péché, pour petit qu'il puisse être, est horrible et épouvantable. [...]
Voir un Dieu fait homme mourir pour expier le péché et répandre son sang pour réconcilier par ce moyen, les pécheurs à son Père. [...] Mais de voir qu'outre cela, on est personnellement coupable, et que quand on eût été seule à pécher, le Fils de Dieu aurait fait ce qu'il a fait pour tous, c'est ce qui consomme et anéantit l'âme. Ces vues et ces opérations sont si pénétrantes qu'en un moment elles disent tout et portent leur efficacité et leurs effets[20].

Revenue à elle-même, elle se voit devant la chapelle qui se trouve sur son chemin habituel. Elle entre et, à un religieux qui s'y trouve, elle exprime le désir de se confesser. Étonné de la façon de faire de la jeune femme, il lui conseille de revenir le lendemain. Marie se retire

[20] Dom Guy-Marie Oury, *Autobiographie de Marie de l'Incarnation. La Relation de 1654*, préface de dom Guy-Marie Oury, éd. de l'Abbaye de Solesmes, 1976, p. 28-29. (Par la suite, nous citerons la référence par *Autobiographie*.)

et continue son chemin. Le lendemain, de grand matin, elle retourne à l'église et répétant sa confession, elle reçoit l'absolution.

En considérant de près le récit de Marie, nous soupçonnons l'ampleur et la profondeur de cette expérience exceptionnelle. D'une part, cette grâce lui ouvre les yeux sur toutes ses imperfections ; d'autre part, cette plongée dans le Sang est semblable à celle d'un baptême. Alors tout est création nouvelle par l'effusion du Sang de Jésus et la puissance régénératrice du pardon de Dieu.

Pour Marie, s'éclaire alors l'œuvre de la Rédemption de toute l'humanité. Dans ce moment de grâce, elle prend conscience que ce Salut lui aurait été offert même si elle avait été la seule à avoir péché. À la lucidité qui lui advient à propos du péché s'ajoute une assurance pleine de lumière sur la puissance de la grâce du Sang versé de Jésus.

À son fils, Claude, elle confie ce souvenir des plus intimes.

> J'ai marqué comme il m'a été possible, ce qu'opéra l'impression susdite et son efficacité, laquelle m'est toujours nouvelle dans le ressouvenir de la grande grâce que je reçus alors : ce qui m'a toujours fait appeler ce jour le jour de ma conversion et comme une grande porte qui m'a donné une entrée dans les miséricordes de mon divin Libérateur, lequel pénétra le fond de mon âme et de mon esprit pour me changer en une nouvelle créature. Je m'en revins ainsi en notre logis, mais si puissamment changée que je ne me reconnaissais plus moi-même. Je voyais mon ignorance à découvert, qui m'avait fait

croire que j'étais bien parfaite, mes actions innocentes, et enfin que j'étais bien, et confessais que mes justices n'étaient qu'iniquités.
Après cette opération de Dieu dans mon âme, je fus plus d'un an que l'impression du Sang de Notre Seigneur demeura attachée à mon esprit par une nouvelle impression de ses souffrances ; et sans cesse mon âme recevait de nouvelles lumières, qui me faisaient voir et découvrir les plus menues poussières d'imperfection, desquelles j'étais inspirée de me confesser.
Je sentais mon esprit et mon cœur dans une grande obéissance et soumission à Dieu et je suivais toutes les pentes qu'il me donnait. Or, ce n'est pas que j'eusse des scrupules, car je possédais une grande paix, mais ce qui m'était montré être péché et imperfection, cela était en une si grande clarté que mon esprit en était en ce moment convaincu, et j'en parlais à Notre Seigneur en lui présentant l'effusion de son Sang précieux.
Mes allées et venues, mon veiller, agir et dormir étaient tout dans cette occupation. Je n'avais pas besoin de méditer ce que j'avais à faire : l'Esprit qui me conduisait m'enseignait tout cela et me réduisait où il voulait[21].

Les lumières reçues sur la gravité du péché ne la replient pas sur elle-même, dans l'attitude de qui aurait perdu la face. Plutôt, elle se retourne vers son Rédempteur, reconnaissante du sérieux de l'amour de Dieu. Dorénavant « changée en une nouvelle créature », sa représentation d'elle-même s'ajuste à la réalité advenue par la faveur divine.

---

[21] *Témoignage*, p. 15-17.

En conséquence, ce 24 mars 1620, elle le désigne comme « le jour de sa conversion ». Pour Marie, la conversion prend le sens du passage d'une vie chrétienne fervente à une vie totalement enracinée dans l'Amour, ne vivant désormais que pour aimer, c'est-à-dire pour vivre l'Évangile. Ainsi, son adhésion à Dieu s'enracine dans une expérience personnelle. Un théologien la commente ainsi : « Ce qui caractérise ce moment spirituel de la vie de Marie, c'est un étonnement et un émerveillement toujours croissants devant tant d'amour de la part de Dieu à son égard, et dont témoignent les souffrances qu'il a endurées pour elle[22]. »

Une solitude habitée par une Présence

> Je n'avais que vingt ans et mon fils n'avait pas encore un an. Mon père me rappela en son logis où ma solitude fut favorisée. Je me logeai au haut de la maison, où en faisant quelque ouvrage paisible [de broderie], mon esprit portant toujours son occupation intérieure, mon cœur parlait sans cesse à Dieu. Et moi-même je m'étonnais de ce que mon cœur parlait ainsi, sans que je le fisse parler par mon action propre, mais poussé par une puissance qui m'était supérieure et qui l'agissait continuellement, lui faisant dire ce qu'il disait.
>
> Je voyais bien que cette puissance-là provenait de l'impression du Sang précieux et des souffrances de Notre

[22] Pierre Gervais, *Marie de l'Incarnation, Études de théologie spirituelle*, Bruxelles/Namour, éd. Anne Sigier, coll. Vie consacrée (13), 1996, p. 84.

> Seigneur, mais comme la chose m'était nouvelle, je l'admirais, et cette admiration engendrait une grande estime de la bonté et de la miséricorde de Dieu, qui, abaissant sa grandeur, voulait ainsi se communiquer à moi, qui me voyais la dernière des créatures, pour laquelle il avait si amoureusement répandu son précieux Sang.
> Mais que mon cœur parlât ainsi privément [familièrement] à lui et si éloquemment, m'était une chose incompréhensible. [...] Je m'y laissais aller et suivais cette pente[23].

Dans le silence de sa solitude, Marie « entend » en son cœur une prière qui vient d'ailleurs. Est-ce en cette réalité mystérieuse que l'apôtre Paul reconnaît la présence de l'Esprit saint qui prie au cœur des baptisés[24] ?

Comme son travail artistique de broderie exige une particulière attention, sans doute s'y consacre-t-elle dans les moments où Claude dort ! Car sa vie intérieure n'empêche pas la mère de veiller sur son fils. Elle souhaite tant « lui donner les premiers plis de la vertu et lui faire prendre de bonnes habitudes lorsque la nature est toute tendre et qu'elle n'a pas pu encore en contracter de mauvaises[25] ».

---

[23] *Témoignage*, p. 17 et 18.
[24] Voir Rm 8, 26-27.
[25] Dom Guy-Marie Oury, *Dom Claude Martin : le fils de Marie de l'Incarnation*, éd. de l'Abbaye de Solesmes, 1983, p. 15.

3
PASSAGE À LA VIE PUBLIQUE

Appel de service

Marie apprécie grandement la tranquillité de la maison paternelle. Mais à peine a-t-elle eu le temps de reprendre son souffle qu'une demande d'aide lui est présentée.

> Environ un an après ma retraite dans la solitude, Dieu m'en tira pour me mettre avec une mienne sœur qui, selon sa condition, était toute dans le tracas ; et son mari et elle me désiraient pour leur aider à le porter.
> À l'abord, cela me sembla si onéreux que je n'osai y penser. Enfin, je m'y accordai pourvu qu'on me laissât libre dans mes dévotions, car je faisais ce sacrifice de mon plein gré et pour rendre une charitable assistance à ma sœur[1].

La liberté intérieure de cette femme et son amour de Dieu et du prochain l'inclinent à accepter cette occasion

---

[1] *Témoignage*, p. 19.

d'assistance à ses proches. Mais quel est donc ce tracas trop lourd pour Paul Buisson et son épouse ?

> Le beau-frère était commissionnaire pour le transport des marchandises dans tous les côtés du Royaume. Il était encore Officier de l'Artillerie et à la faveur de ces deux Offices, il entreprenait encore quantité d'autres affaires qui l'obligeaient d'avoir la plus grande famille de toute la Province. Pour s'acquitter plus commodément de ses emplois et afin de ne dépendre de personne, il avait chez soi tout ce qui lui était nécessaire en hommes, chevaux, harnais, coches, carrosses et autres semblables meubles de campagne[2].

Ne sachant ni lire ni écrire, le chef d'entreprise est d'autant plus désireux d'obtenir l'aide de sa belle-sœur qu'elle peut lui être une assistante compétente. Au début, Paul Buisson demande à Marie de tenir maison et de surveiller les différents services domestiques, tout particulièrement la cuisine.

> « Durant l'espace de trois ou quatre ans, je fis toujours la cuisine, y endurant de grandes incommodités, mais plus je souffrais, plus Notre Seigneur me consolait. [...] Je faisais l'office de servante envers les serviteurs de mon beau-frère, et quelquefois j'en avais cinq ou six de malades sur les bras. Je n'avais garde de souffrir que d'autres en prissent le soin, et jusqu'aux choses les plus viles, je n'eusse pas voulu les laisser faire aux servantes, mais je faisais leurs offices en cachette, en sorte que, quand elles

---

[2] Dom Claude Martin, *La vie de la vénérable Mère Marie de l'Incarnation*, p. 54.

se présentaient pour s'en acquitter, elles trouvaient tout fait. » Elle satisfaisait à tout et contentait tout le monde, mais d'une manière miraculeuse, car elle portait tous ces fardeaux sans se distraire ni perdre la présence de Dieu. Elle était dans la résolution d'y passer toute sa vie. Mais son frère qui ne pouvait suffire à toutes ses affaires, la pria d'en prendre la conduite. [...][3]
Notre Seigneur me faisait la grâce d'en venir à bout. Je passais presque les jours entiers dans une écurie qui servait de magasin, et quelquefois il était minuit que j'étais sur le port à faire charger ou décharger des marchandises. Ma compagnie ordinaire était des crocheteurs, des charretiers, et même cinquante à soixante chevaux dont il fallait que j'eusse le soin. J'avais encore sur les bras toutes les affaires de mon frère et de ma sœur lorsqu'ils étaient à la campagne, ce qui arrivait fort souvent. [...] Et cependant tous ces tracas ne me détournaient pas de Dieu, mais plutôt je m'y sentais fortifiée, parce que tout était pour la charité et non pour mon profit particulier[4].

Relation à Dieu renouvelée

Malgré le lourd tracas qu'elle supporte dans son service à autrui, la jeune veuve mène une vie d'une profonde intériorité. Elle adhère au centre de son âme où la Parole de Dieu l'accompagne tout au long de son expérience humaine et spirituelle. À cette période-ci,

---

[3] Voir, *Écrits spirituels et historiques. La Relation de 1654*, t. I, p. 151.

[4] *Témoignage*, p. 40.

Notre Seigneur la visite d'une lumière réconfortante et lui donne un nouveau don d'oraison, c'est-à-dire une nouvelle façon d'entrer en relation avec lui dans la prière.

> Notre Seigneur me conduisit là, lequel me conféra un nouveau don d'oraison, qui était une liaison à Notre Seigneur touchant ses sacrés mystères, depuis sa naissance jusqu'à sa mort.
>
> J'expérimentais principalement en ce don d'oraison que ce divin Sauveur était la Voie, la Vérité et la Vie[5] : la Voie, laquelle mon âme avait une tendance continuelle de suivre ; la Vérité, qu'elle croyait d'une si grande certitude qu'elle disait : Je n'ai pas la foi, ô mon grand Dieu, puisque vous me montrez vos biens et la vérité de ce que vous êtes et de ce que vous m'êtes à découvert, en une manière qui me dit tout d'une façon ineffable et qui me fait tout voir. Vous êtes enfin ma Vie qui me remplissez. Ce que j'expérimentais en l'âme au sujet de ce béni Sauveur qui m'était une vie et nourrissement divin et qui me faisait encore expérimenter ce qu'il dit : « Je suis la porte ; si quelqu'un entre par moi, il sera sauvé ; il entrera et sortira et trouvera pâture[6]. »
>
> J'entrais en lui et par lui, dans lui, dis-je, qui me découvrait ses divins mystères, desquels je vivais, et mon âme en était repue. Et remplie de cet aliment, je sortais dans les emplois où il m'avait mise, sans néanmoins sortir de lui, et rentrais en lui par un redoublement d'amour qui faisait tendre mon âme à ne point cesser de prendre sa

---

[5] Voir Jn 14, 6.
[6] Voir Jn 10, 9.

pâture dans les biens de ce divin Pasteur, qui produisait en moi une génération continuelle de sa vie et de son esprit. Je me tenais plusieurs heures à méditer et rouler dans mon esprit les mystères de l'Humanité sainte de Notre Seigneur, lequel, dans son attrait ordinaire, je voyais tout d'un regard, par manière d'envisagement intérieur[7].

C'est bien à partir de l'enseignement de l'évangile selon saint Jean que Marie développe une certitude : le Cœur de Jésus lui est ouvert et elle y a toute liberté d'entrée et de sortie puisque le Berger la connaît par son nom. Pour Marie, sortir pour assumer ses responsabilités, ce n'est pas sortir, c'est rester avec lui quand elle sert les serviteurs de Paul Buisson. Son labeur est vécu pour le Seigneur : c'est Jésus qu'elle reconnaît dans les personnes dont elle se fait proche, comme l'a fait le Bon Samaritain[8].

L'Incarnation du Fils de Dieu, depuis sa naissance jusqu'à sa mort : tel est l'objet actuel de la méditation de cette jeune femme. L'Esprit la conduit à porter dans la prière ces événements que la Vierge Marie conservait dans son cœur.

Les abaissements de notre Sauveur touchent si profondément Marie qu'elle en vient à vouloir imiter de près Celui qui l'a aimée à ce point. Elle désire devenir conforme à Celui qui toujours affirme : « Je suis la Voie, la Vérité et la Vie[9]. » Cette vérité prend racine en elle

[7] *Témoignage*, p. 19-20.
[8] Voir Lc 10, 33-34.
[9] Jn 14, 6.

et lui devient un phare pour sa conduite personnelle, une certitude intérieure pour sa foi, une Présence qui comble sa vie. Et Marie insiste sur ce point : son discours ne résulte pas d'une réflexion intellectuelle, mais d'un compagnonnage intime et soutenu avec Notre Seigneur. « Je faisais oraison partout [...] Je me sentais remplie et environnée de cette douceur céleste [...] Quoique je me sentisse si abondamment en Dieu, mon cœur désirait s'unir à lui d'une façon tout autre et que je ne m'expliquais pas[10]. »

Son espace de recueillement intérieur n'est absolument pas favorisé par les activités de l'entreprise des Buisson. Avec le temps, d'autres travaux s'ajoutent : l'entretien des chambres et le soin des malades : « Il me semblait un hôpital duquel j'étais l'infirmière. En toutes ces actions, il m'était avis que c'était à mon divin Époux[11]. »

L'ascendant de la jeune veuve suffit à imposer le respect : en sa présence, des voituriers un peu trop grivois se surveillent davantage.

> L'offense faite contre la divine Bonté me touchait si fort que, quelquefois, voyant une troupe d'hommes assemblés qui blasphémaient son nom ou qui disaient des paroles sales, je m'allais mettre avec eux, afin qu'ils cessassent en me voyant.
>
> Quand ils étaient à table, c'est là qu'ils faisaient beaucoup de péchés, et moi, pour les en empêcher, j'allais

[10] *Témoignage*, p. 22.
[11] *Ibid.*, p. 89.

manger avec eux, j'étais là toute seule, avec douze ou quinze hommes, auxquels selon les occasions, je parlais de Dieu ou, quand ils n'y étaient pas disposés, je leur disais quelque chose indifférente pour les récréer, aimant mieux en tout cela me captiver plutôt que de les voir offenser Dieu.
Je les reprenais franchement de sorte que ces pauvres gens m'étaient soumis comme des enfants. J'en ai fait relever du lit qui s'étaient couchés sans avoir prié Dieu. Ils venaient à moi à recours en tous leurs besoins et surtout en leurs maladies, et pour les remettre en paix avec mon beau-frère lorsqu'ils l'avaient mécontenté[12].

Marie nettoie les dégâts dus aux excès de certains employés. Constatant cet état de fait, Madame Buisson, sa sœur, intervient :

Je les traitais comme des enfants. Il y avait en cela bien à souffrir, mais je me sentais intérieurement portée à le faire. [...] Ma sœur me défendit de ne m'y plus engager, à cause des contagions qui étaient grandes alors dans la ville, et aussi que mon beau-frère en avait du dégoût, parce que c'est moi qui lui préparais son manger. [...] Mais cela n'empêchait pas que je ne trouvasse sans cesse à faire d'autres actions de charité, dans lesquelles je m'employais pour l'amour de Notre Seigneur.
Maintenant que je fais réflexion sur cet état, je l'estime infiniment précieux. Il n'y a que l'esprit de Jésus Christ qui le puisse communiquer. [...] Toutes ces épreuves et humiliations, enfin tout ce qui s'est passé chez mon

[12] *Ibid.*, p. 88-89.

beau-frère à mon égard, était une disposition pour me former pour le Canada. Ça été mon noviciat, duquel néanmoins je ne suis pas sortie parfaite, mais, pourtant, par la miséricorde de Dieu, en état de porter les tracas et les travaux de cette Nouvelle-France[13].

En 1654, Marie de l'Incarnation vit déjà à Québec depuis une quinzaine d'années au moment où elle relate ses souvenirs et rappelle les dons reçus de Dieu. Avec le recul du temps et son expérience canadienne, ses années en terre natale prennent alors une signification plus large pendant que sa vie spirituelle continue de s'approfondir.

Amour est mon nom

Marie Guyart continue de recevoir des faveurs spirituelles. À leur sujet, elle affirme fortement, et à plusieurs reprises, qu'elle n'a jamais eu de visions ni entendu de paroles ; mais qu'elle est bien obligée d'utiliser un certain langage pour rendre son expérience compréhensible. À son grand regret, pour la contenir, les mots humains sont trop étroits. Pourtant, malgré cette limite du vocabulaire, ses écrits nous disent déjà beaucoup le nom que Dieu préfère.

Étant une fois en oraison où je parlais à Notre Seigneur avec de profonds sentiments d'humilité et de respect, l'appelant mon Dieu et mon grand Dieu, il me dit par paroles intérieures avec une grande douceur : « Tu

[13] *Ibid.*, p. 25-26.

m'appelles ton grand Dieu, ton Maître, ton Seigneur, et tu dis bien, car je le suis. Mais aussi je suis Charité : l'Amour est mon nom, et c'est ainsi que je veux que désormais tu m'appelles. Les hommes me donnent bien des noms, mais il n'y en a point qui me plaise davantage et qui exprime mieux ce que je suis à leur égard. » Depuis, cet aimable nom d'Amour, il m'est toujours demeuré très fortement imprimé dans l'esprit et dans le cœur[14].

Dans l'expérience du Sang de Jésus, dans lequel elle s'était vue plongée le 24 mars 1620, Marie a déjà pris conscience de l'abîme de l'amour divin et elle apprend maintenant que « Amour est mon nom ». Et l'Amour continue de choyer spirituellement celle qu'il invite dans son intimité.

> Dès que la divine Majesté, après ma conversion [1620], m'eut communiqué le don d'oraison, elle me donna ensemble la grâce de sa sainte présence : c'était ce qui me soutenait et établissait en un colloque continuel avec Notre Seigneur. [...] J'avais quelquefois un sentiment intérieur que Notre Seigneur Jésus-Christ était proche de moi, à mon côté, lequel m'accompagnait. Cette présence et compagnie m'étaient si suaves et étaient une chose si divine que je ne pouvais dire la manière comme cela était[15].

Marie a conscience d'être habitée, conscience de la présence de quelqu'un en elle et à côté d'elle. Elle expérimente et, du fait même, confirme une vérité que

[14] *Ibid.*, p. 22.
[15] *Ibid.*, p. 27.

tous les baptisés sont appelés à vivre dans la foi en la Parole de Jésus : « Demeurez en moi comme moi en vous[16] » ; « Je suis avec vous jusqu'à la fin des temps[17] ».

Accueil des pauvres et des malades

Encore enfant, Marie s'occupait des gens dans le besoin. Elle conserve cette habitude malgré la somme de travail qu'elle assume chez son beau-frère. Fidèle à la *pente* donnée à son cœur lors du songe de ses sept ans, Marie prend soin des pauvres et des malades qui se présentent à la maison des Buisson. « Les pauvres et les malades étaient mes plus grands amis, et ce qui me contentait le plus c'était de panser des plaies[18]. » Puisqu'il vit avec sa mère chez son oncle Paul Buisson, Claude la voit agir. Des années plus tard, il se souvient encore des comportements de sa mère. « Elle faisait entrer les pauvres dans une chambre où, pour faire honneur à Jésus-Christ en ses membres, elle les faisait asseoir dans un fauteuil, puis se mettant à genoux devant eux, elle leur rendait cet office de piété[19]. »

Elle s'inspire de l'exemple de Jésus. « Tout le bien que je voyais, je le faisais, même sans me faire violence, parce que la douceur de l'attrait de l'Esprit de Dieu

---

[16] Jn 15, 4.
[17] Mt 28, 20.
[18] *Témoignage*, p. 3.
[19] Dom Claude MARTIN, *La vie de la vénérable Mère Marie de l'Incarnation*, p. 36.

m'était incomparablement plus suave que tout ce que je voyais ailleurs[20]. »

Transparente à Dieu et de Dieu

Comme chez des amoureux, plus la proximité s'intensifie, plus l'importance de la transparence augmente. Plus la lumière est vive, plus les poussières sont visibles. Dans l'expérience de Marie, il semble bien que le Dieu de toute pureté se fait l'artisan d'un véritable décapage. Et la fidèle collaboration de sa servante vise à ce qu'il n'y ait aucun « entre-deux » entre lui et elle. C'est dans cette attitude du cœur que Marie vit, dans la confiance et la paix, des situations d'attente patiente. Où Dieu me conduit-il ? Comment cela va-t-il se faire ? Ni sa réflexion ni sa prière n'essaient de lever le voile sur le secret de Dieu. Dans la foi, se sachant aimée, Marie respecte l'heure de Celui dont le nom est Amour.

> L'âme se sentant appelée à choses plus épurées, ne savait où on la voulait mener. Elle avait tendance à une chose qu'elle ne connaissait pas encore, et quoiqu'elle ne les pût concevoir, elle s'abandonnait, ne voulant rien suivre que le chemin que Celui à qui elle tendait avec tant d'ardeur lui ferait tenir. Alors, l'Esprit lui ouvrit l'esprit de nouveau pour la faire entrer dans un état comme de lumière. Une fois, étant en oraison devant le très saint Sacrement, – c'était environ deux ans après ma conversion –, je

[20] *Témoignage*, p. 3.

me trouvais dans un grand recueillement intérieur, et, étant en moi-même toute hors de moi-même, il me fut montré que Dieu est comme une grande mer, et que, tout ainsi que la mer élémentaire ne peut souffrir rien d'impur, ainsi ce Dieu de pureté infinie ne veut et ne peut souffrir rien d'impur, mais qu'il rejette hors de soi toutes les âmes mortes, lâches et impures.
Dieu m'instruisait par là qu'il voulait de moi une grande pureté de cœur ce qui me donna une si grande délicatesse intérieure que le moindre atome d'imperfection me semblait impureté et mettre un entre-deux entre ce Dieu de pureté et mon âme.
Je ne voulais autre chose que d'être abîmée dans cette grande mer de pureté de crainte d'amasser des souillures qui me rendissent indigne d'être toute à ce Dieu qui voulait de moi une telle pureté. Cela était si fort imprimé dans mon âme que je ne faisais que dire : Ô pureté ! ô pureté ! Cachez-moi en vous, ô grande mer de pureté[21].

Marie rappelle que la vie spirituelle est d'abord don de Dieu, « à qui il importe d'être fidèle, [...] lorsque Dieu appelle à ce genre de vie intérieure, la correspondance est absolument requise avec l'abandon de tout soi-même à la divine Providence[22] ».

Afin de parvenir à une telle limpidité et de gagner le cœur de Notre Seigneur, Marie Guyart s'impose des mortifications dont la description fait frémir : jeûnes, cilice, haire, veilles, etc. À son époque, la barre se place

[21] *Ibid.*, p. 27-28.
[22] *Ibid.*, p. 30.

haut, autant chez les explorateurs des grands espaces que chez les chercheurs de Dieu.

L'idéal de la mortification exige une grande générosité. Chez cette jeune femme, un tempérament fort et généreux, mobilisé par une volonté d'aimer Dieu, ne va pas ralentir ses pénitences. Son désir de gagner le cœur de Dieu engage même son corps : « Que je puisse au moins endurer quelque peu, afin de vous imiter et de vous suivre, ô mon Bien-Aimé[23] ! »

Son directeur spirituel intervient pour éviter qu'une trop grande austérité ne finisse par nuire à sa santé. Puis elle en arrive à ne plus choisir ses pénitences quand elle découvre, dans son quotidien, des occasions de purification : « Ma croix en ce point est souvent l'embarras des affaires où je me trouve presque continuellement[24]. »

C'est donc dire que, dans la vie qui est là, à portée de la main, dans les engagements quotidiens et les responsabilités assumées, tout peut se convertir en moyen de purification. Marie insiste : la vie d'union à Dieu est avant tout son œuvre à lui et à cette œuvre divine chacun est invité à consentir librement dans le quotidien de sa vie. Or cette collaboration au décapage de toute une vie est rendue possible à qui se fie entièrement à Celui dont l'Amour est le Nom et à son Esprit purificateur.

> Quoique je fisse la cuisine, que le tracas du ménage fût grand, que j'entendisse le bruit de plus de vingt serviteurs grossiers et mal instruits, et même plus tard, que j'eusse

[23] *Ibid.*, p. 34.
[24] *Ibid.*, p. 303.

le soin de tout le négoce de mon beau-frère, tout cela ne me pouvait distraire, et il me semblait que cette grande mer eût rompu ses bornes sur moi. J'y étais submergée et je perdais de vue toute autre chose. [...] Cela me faisait connaître combien cette divine Majesté veut une grande rectitude et une grande pureté en l'âme qui est si proche de lui[25].

Voile levé sur une promesse

« Veux-tu être à moi[26] ? » Dans toute la candeur de l'enfance, Marie répondit un « oui » plein de confiance et d'étonnement. « Pourquoi moi ? » Plus tard, en 1627, c'est sur une promesse qu'un voile se lève. Marie en raconte les circonstances.

> Un jour que je m'entretenais familièrement avec le Seigneur et que mon cœur se trouvait dans un mouvement extraordinaire, tendant sans savoir à quoi, et désirant cette qualité [de relation à Dieu] que je ne connais pas et à laquelle sa divine Bonté me fait aspirer, il me dit distinctement ces paroles : « Je t'épouserai dans la foi, je t'épouserai pour jamais[27]. »

Des épousailles dans la foi : une réalité expérimentée par des mystiques dont on n'entend très peu parler en dehors de leur biographie. Au premier regard, leur vie spirituelle semble inaccessible au commun des mortels.

---

[25] *Ibid.*, p. 28-29.
[26] Voir Os 2, 19.
[27] *Ibid.*

Pourtant, c'est par le symbole de la vie conjugale que la grande réalité de l'alliance de Dieu avec son peuple se révèle. Par sa vie, sa mort et sa résurrection, Jésus fait passer le peuple de l'Ancienne à la Nouvelle Alliance. Et si le sacrement de baptême en est la porte d'entrée, si le baptême greffe à la Vigne dont Jésus est le tronc, si tout baptisé est plongé dans ce mystère de l'Alliance et appelé à en vivre... Si Marie de l'Incarnation nous en parlait, si elle nous en apprenait le chemin.

> La promesse de ce mariage si divin m'ayant donc été faite, je changeai tout à fait de disposition intérieure. [...] Je me sentais tirée puissamment. [...] Il me semblait être tout abîmée en Dieu qui m'ôtait tout pouvoir d'agir. J'étais ainsi une heure ou deux, et cela se terminant avec une grande douceur d'esprit. [...] Je courais à la pratique des vertus, et toutes ces choses me servaient à m'unir davantage au Verbe Incarné qui me pressait sans cesse. Personne de notre logis ne s'apercevait de mes occupations intérieures, et le bonheur pour moi était que je demeurais retirée partie du temps à faire les chambres des serviteurs, où je parlais à Notre Seigneur tant que je voulais[28].

Jeune femme encore, Marie Guyart se révèle déjà d'un équilibre certain et d'une bonne dose de modestie. Elle est assez forte pour conserver les secrets de son cœur.

---

[28] *Témoignage*, p. 37, 38-39.

Présence à Dieu et tracas quotidiens

Marie est de plus en plus sollicitée par les Buisson dont l'entreprise prospère. Elle donne une description détaillée de la tâche qui lui est désormais confiée.

> Je vis bien que mon beau-frère et ma sœur projetaient de m'employer dans le gros de leurs affaires comme eux-mêmes ; ce qui arriva en effet, et m'obligea à la conversation avec plusieurs personnes du dehors et à de grands soins.
>
> Tous ces nouveaux tracas ne me détournèrent point de la grande application que j'avais à Dieu et qui m'occupait toujours, mais plutôt je m'y sentais fortifiée, parce que tout était pour la charité et non pour mon profit particulier. Je me suis trouvée dans le bruit des marchands et cependant mon esprit était abîmé dans cette divine Majesté.
>
> Je passais presque les jours entiers dans une écurie qui servait de magasin, et quelquefois il était minuit que j'étais sur le port à faire charger ou décharger des marchandises. Ma compagnie ordinaire était des crocheteurs, des charretiers et même cinquante ou soixante chevaux dont il fallait que j'eusse le soin.
>
> J'avais encore sur les bras toutes les affaires de mon beau-frère et de ma sœur lorsqu'ils étaient à la campagne, ce qui arrivait fort souvent. Lorsqu'ils étaient au logis, ils en prenaient soin eux-mêmes, et moi je les servais, oubliant, aussitôt qu'ils étaient arrivés, tous les soins que j'avais eus en leur absence. [...]
>
> Quelquefois je me voyais si surchargée d'affaires que je ne savais par où commencer. Je m'adressais à mon

refuge ordinaire, lui disant : « Mon Amour, il n'y a pas moyen que je fasse toutes choses, mais faites-les pour moi, autrement tout demeurera. » Ainsi, me confiant en sa bonté, tout m'était facile.
Ce puissant secours me faisait embrasser courageusement et de gaieté de cœur toutes les actions que je connaissais lui être agréables. Quelquefois je me retirais pour tâcher de le caresser hors du bruit. Aussitôt l'on m'en retirait et je descendais joyeusement, lui disant : « Allons ! mon doux Amour, vous le voulez, c'est assez puisque je vous tiens ; cette action-là est pour vous. » Je sentais une légèreté non pareille, faisant tout pour le Bien-Aimé. [...] J'avais surtout de grands sujets de pratiquer la patience, mais tout cela m'était délectable en la vue de Celui qui me donnait tant d'accès avec sa divine Majesté[29]. « Pour celui qui est en Jésus Christ, ce qui importe, c'est la foi agissant par la charité[30]. »

Période d'attente et de désir

La promesse des épousailles spirituelles ne se réalisant pas encore, Marie supplie : « Ah ! mon Amour, quand est-ce que s'achèvera ce mariage ? » « Il ravissait mon esprit et charmait mon cœur. [...] Mais il y avait toujours quelques ornements à préparer[31]. » Une fois encore, l'Écriture sainte éclaire cette chercheuse de Dieu :

---

[29] *Ibid.*, p. 39-40.
[30] Ga 5, 6.
[31] *Témoignage*, p. 41.

« Si le Seigneur ne bâtit la maison, vain est le travail des maçons[32]. » Le Seigneur est le maître d'œuvre.

> Une grande lumière m'en donna l'intelligence, en me faisant voir l'impuissance de la créature pour s'élever d'elle-même à Dieu, si lui-même n'édifiait l'édifice. [...] Et, comme si déjà elle le possédait dans l'état où elle tend sans cesse, elle dit : « Mon Bien-Aimé est à moi et moi, je suis toute à lui. C'est mon bien, c'est mon moi, c'est mon tout et ma vie[33]. »

[32] Ps 127, 1.
[33] *Témoignage*, p. 41-42.

4

UNE VIE RELIGIEUSE AVANT MÊME L'ÉTAT RELIGIEUX

Par obéissance filiale, Marie consentit au mariage proposé par ses parents. Devenue veuve, une circonstance majeure l'empêche de réaliser son rêve d'entrer au couvent : « J'avais encore en mon fils un autre lien qui ne me le permettait pas, et qui, au jugement de mon directeur, était voulu de Dieu ; il croyait néanmoins que la divine Majesté me ferait cette grâce à son heure[1]. »

Si Marie accepte la réalité et consent à attendre l'heure de Dieu, la quête spirituelle de son Bien-Aimé ne perd ni vigueur ni ténacité. Et le Seigneur continue à lui accorder fidèlement ses faveurs.

> Dans les ardents désirs que j'avais de posséder l'esprit de Jésus Christ, il me fit voir et expérimenter les grands et infinis trésors qui sont cachés dans les conseils du saint Évangile, à la garde desquels il appelle les âmes choisies ; surtout ceux qui sont cachés dans la pauvreté, la chasteté

[1] *Ibid.*, p. 44.

et l'obéissance, que je voyais être les vertus éminentes que Notre Seigneur Jésus Christ avait choisies et pratiquées, étant en cette vie mortelle, pour nous servir d'exemple[2].

En suivant le raisonnement de Marie, les vœux sont un don de Dieu qui précède la promesse de qui s'y engage. Car ils sont la manière même dont Jésus, notre Sauveur, a choisi de vivre : pauvre, chaste, obéissant. Ainsi, vivre selon la voie de Jésus permet à Marie Guyart, et à quiconque emprunte ce même chemin, d'entrer dans la miséricorde de Dieu.

Vœu de pauvreté

« Bienheureux les pauvres en esprit[3]. » Cette béatitude prend une importance capitale au cœur de la jeune femme. Quant à la pauvreté matérielle, elle la considère comme un moyen d'atteindre la pauvreté d'esprit. « Ce que je tâchais de faire, c'était de vider mon cœur de l'amour des choses de ce monde. Je ne m'y arrêtais jamais volontairement, et ainsi mon cœur se vidait de tout et n'avait point de peine de se donner tout à Dieu[4]. »

Ce point de vue de Marie, une théologienne le perçoit ainsi : « Dans son désir de voir Dieu, Marie doit se dégager de tout le reste. Elle doit préférer Dieu à tout : aux siens, aux sentiments les plus naturels.

---

[2] *Ibid.*

[3] Mt 5, 3.

[4] *Correspondance*, Lettre à l'une de ses sœurs, le 3 septembre 1644, p. 235.

Progressivement, elle s'accoutumait à vivre d'un amour plus grand que son cœur[5]. »

Selon Marie, être pauvre d'esprit, c'est le chemin pour devenir riche de l'esprit de Jésus Christ. C'est bien ce qu'affirme saint Paul : « Vous connaissez la libéralité de Notre Seigneur Jésus Christ, qui pour vous s'est fait pauvre, de riche qu'il était, afin de vous enrichir par sa pauvreté[6]. » Pour nous sauver, Jésus, de condition divine, a voulu vivre la condition limitée des humains. Jésus s'en remet à son Père, sa seule richesse, son seul recours. Nous expérimentons aussi notre pauvreté. Dans la foi, s'en remettre au Père tout-puissant et tout aimant, c'est la condition exigée pour que son amour fidèle devienne notre richesse. L'esprit de Jésus Christ, que Marie désire avec tant d'ardeur, l'entraîne à vivre dans la confiance au Père à la manière du Fils Bien-Aimé et en conformité avec lui.

> Ce que la créature peut, c'est son consentement, l'obéissance et l'abandon de soi, acquiesçant à tout ce que la divine Majesté veut faire d'elle. Car, bien qu'il soit maître absolu, néanmoins, ayant créé l'âme noble, il est si excessivement bon qu'il la traite noblement, ne lui ôtant point son libre arbitre ; mais elle, vaincue, lui donne tout, parce que le voyant si gracieux en son endroit, elle ne veut rien, mais être entièrement dépouillée, et qu'il ait tout et qu'elle n'ait rien[7].

[5] Maria-Paul Del Rosario Adriazola, *La connaissance spirituelle chez Marie de l'Incarnation*, p. 163.

[6] 2 Co 8, 9.

[7] *Témoignage*, p. 46.

Tout chrétien, même sans un vœu, est appelé à reconnaître ses limites et à s'en remettre à l'amour du Père. Ainsi, avec un cœur de pauvre en esprit, il devient semblable à Jésus, le Bien-Aimé du Père. Notons qu'en pratique, la pauvreté matérielle, conséquente au vœu de pauvreté, et moyen choisi volontairement pour favoriser la pauvreté d'esprit, ne consiste pas en un état de mendicité. Concrètement, comment la veuve Martin vit-elle son engagement par vœu en dehors d'un cloître ?

> Pour la pauvreté, je n'avais rien à mon usage que ce que ma sœur me donnait, mais elle était si bonne et si charitable qu'elle me donnait plus que je n'en voulais. [...] de plus en plus je me sentais dégagée des choses du monde. Je me voyais au-dessus de tout cela, estimant ma condition de pauvre plus heureuse que celle des plus grands de la terre. [...] Qui m'eût demandé : « Que voulez-vous ? » J'eusse dit : « Je ne veux rien : Dieu est mon tout[8]. »

Marie vit volontairement dépendante de la bonne volonté de sa sœur. Dans cette simplicité volontaire, se développe alors en son cœur une liberté intérieure face aux biens matériels.

Vœu d'obéissance

Tout en respectant les conditions de son état, Marie veut aller encore plus loin dans le don d'elle-même et

---

[8] *Ibid.*, p. 47.

l'imitation de Jésus, son Sauveur, « Lui qui fut obéissant jusqu'à la mort sur une croix[9] ».

> Dans ces dispositions, je fis vœu d'obéir à mon directeur et à celui qu'il me laisserait en sa place, en tout ce qui serait de la plus grande perfection, ayant cette intention en le faisant, que si j'entrais en religion, il serait annulé. [...] Mon vœu avait aussi rapport à mon beau-frère et à ma sœur, auxquels j'obéissais comme s'ils m'eussent été supérieurs. [...] Tous les services que je rendais au prochain y étaient enfermés et de la sorte je ne faisais rien que par obéissance[10].

Sa sœur et son beau-frère ignorent les promesses de leur parente et employée. S'il l'avait su, Paul Buisson aurait-il modifié ses exigences ? La réalité fut « qu'il y avait à souffrir ce que Dieu sait[11] ».

Nouvelle semence en son cœur : le don de la paix

> Un jour, étant en oraison, où je caressais le divin Jésus, il me dit au cœur ces paroles : « Paix à cette maison[12]. » Ce fut un nouveau charme pour me consommer d'amour, car cela fut plus pénétrant que la foudre. Je ne sais comment il faut dire pour me mieux expliquer, car il n'y a rien de semblable.

---

[9] Ph 2, 8.
[10] *Témoignage*, p. 46-47.
[11] *Ibid.*, p. 47.
[12] Voir Lc 10, 5.

> Cette parole eut un tel effet que jamais depuis je n'ai perdu la paix intérieure un seul moment. Quelque croix ou affliction qui m'arrive, rien ne peut empêcher le cœur de se conformer à son Dieu, et quoique j'aie quelquefois des peines extrêmes, je le vois toujours dans sa paix par une amoureuse conformité, ne voulant que ce que veut l'Amour, le suradorable Verbe Incarné, qui tient son empire à cette place.
>
> Il n'y a rien d'heureux en ce monde que la possession de cette paix. C'est un nourrissement du paradis et une vie de Dieu que je crois que Notre Seigneur nous veut faire goûter dès cette vie comme un gage de celle dont nous jouirons dans l'éternité. Ô Dieu ! que c'est une grande faveur[13] !

Faut-il que ce don de la paix du Christ soit pénétrant et présent en Marie pour qu'elle puisse le décrire de cette façon des années plus tard, en 1654 ! Depuis sa traversée au Canada, combien d'occasions portent des facteurs d'inquiétude, de colère et même de découragement ? Pourtant, elle affirme : « Jamais depuis je n'ai perdu la paix intérieure un seul moment[14]. »

La paix soit avec vous : le souhait offert à chaque Eucharistie ! Dans ce sacrement de la présence de Jésus ressuscité, non seulement Marie trouve son point d'appui et son réconfort, mais elle le reçoit comme une source d'où jaillissent vie, force, douceur, foi et union intime.

---

[13] *Témoignage*, p. 47-48.
[14] *Ibid.*, p. 47.

> Le plus grand soulagement qu'elle [son âme] trouvait dans sa souffrance était la communion journalière. [...] J'étais assurée que je possédais là ma vie. Non seulement la foi vive me le disait, mais le Seigneur me faisait expérimenter que c'est lui, par une liaison et union d'amour dont il me faisait jouir d'une façon inexplicable. [...] Quand tout le monde ensemble m'aurait dit que celui qui est dans l'Hostie n'est pas le suradorable Verbe Incarné, je serais morte pour assurer que c'est lui[15].
>
> Je ne saurais exprimer la force et la douceur de cette union de mon âme avec Notre Seigneur, principalement par la sainte communion où je pouvais enfin jouir de mon divin Époux sans interposition d'entre-deux. J'y trouvais un peu de remède à mes angoisses. [...] Et comme c'était d'ordinaire après cette action que j'allais vaquer aux affaires de mon beau-frère, ni le bruit des rues ni ce que j'avais à traiter avec les marchands ni tous les soins dont j'étais chargée ne me pouvaient tirer de la liaison intérieure que j'avais avec la Divinité[16].

Épreuve de la tentation

Marie avait reçu cette grâce de la découverte des conseils évangéliques et, en particulier, la richesse de cette pauvreté d'esprit qui dispose à mettre sa confiance en Dieu. Si elle choisit de vivre cette béatitude, elle ne choisit pas comment elle aura à la vivre. Et qui choisit de vivre l'évangile ne se dirige pas nécessairement vers

---

[15] *Ibid.*, p. 48-49.
[16] *Ibid.*, p. 107-108.

ce qui dépouille et décape davantage. Jésus a connu la tentation au désert, et nul n'en est exempté, pas même les mystiques.

> Les tentations ne me manquèrent pas, tant de la part du diable que du monde et de mon amour-propre. [...] Je ne puis dire les diverses pensées qui traversèrent mon esprit. [...] En un mot, tout me faisait peine, et de quelque côté que je me tournasse, mon esprit ne trouvait rien que d'affligeant. À quoi bon tout cela ! J'étais bien folle de me faire tant souffrir[17].

À propos de son fils, la tentation la tenaille et son entourage lui est sujet à maintes contrariétés. Le diable insinue le doute : ce que Marie avait décidé en toute lucidité ne lui paraît plus valable.

> Mon fils remplissait mon imagination, qui élevait un grand trouble en moi : que j'engageais ma conscience ; que Dieu me ferait rendre compte de ce que je vivais. [...] Je portais un grand amour pour mon fils, auquel j'avais cru souhaiter les vrais biens, en lui procurant aussi bien qu'à moi la pauvreté auprès de Dieu.
> Quant au prochain, je sentais vivement tout ce qu'on me disait, et il me fallait avoir la vue continuelle sur moi-même pour m'exercer en la douceur d'esprit, sans quoi ma nature eût fait bien des échappées. Mais Notre Seigneur me gardait, et il ne me souvient point de m'être impatientée, quelque peine qu'on me fît, durant tout le temps qu'il me fit porter cette croix[18].

---

[17] *Ibid.*, p. 50.
[18] *Ibid.*, p. 50-51.

Dans cette période de tribulation intérieure, Marie revient à ses recours privilégiés : la Parole de Dieu et la charité envers le prochain, celle-ci agissant comme une diversion à son imagination.

> « Je suis avec ceux qui sont dans la tribulation[19]. » Cette Parole de Dieu l'assurait d'une présence divine et aimante. Puis, il y avait l'amour du prochain : « Je ne trouvais du soulagement que dans les actions de charité. C'était ce qui me faisait vivre, en chérir et en chercher les occasions[20]. »

Dieu laisse la tentation suivre son cours. Dans une lettre, elle confie à son fils la raison qui lui semble justifier la conduite divine sur elle : « c'est pour épurer mon âme, la disposant pour être le réceptacle de ses faveurs : Dieu d'infinie pureté, il fallait passer par le feu pour être admise à ses divins embrassements[21] ».

Enchâssement des cœurs

Marie Guyart, dans une expérience spirituelle, s'était vue plongée dans le Sang de notre Sauveur. Ce jour de grâce lui avait été l'occasion d'une conversion, dans le sens d'une recherche plus intensive et plus amoureuse de la présence de Dieu et de sa miséricorde. Et voilà qu'en 1625, Notre Seigneur visite la jeune femme d'une façon tout aussi étonnante.

---

[19] Ps 90, 15.
[20] *Autobiographie*, p. 50.
[21] *Correspondance*, Lettre à son fils, 9 août 1654, p. 528.

> Une nuit, je vis que Notre Seigneur tenait deux cœurs en ses mains, qui étaient le sien et le mien. Il mit l'un dans l'autre, et les ajusta si artificiellement [avec art] qu'il n'en paraissait plus qu'un, et pourtant je voyais l'union des deux. [...] Notre Seigneur me dit : « Tiens ! Voilà comment se fait l'union des cœurs. »
> Je ne sais si je dormais ou veillais ; mais entendant ces paroles, j'en expérimentai l'effet, et revenant à moi-même, je me sentis dans un si grand embrasement d'amour que cette union dura plusieurs jours, avec un entretien tout extraordinaire qui me faisait produire de grands actes des vertus intérieures et extérieures. Ce fut une touche au fond de mon cœur, si divine et si délicate dans sa suavité[22].

La grâce de l'enchâssement des cœurs lui est donc donnée en même temps que la croissance en elle d'un amour d'épouse, c'est-à-dire dans une alliance. Car c'est l'Époux qui a agi dans l'union des cœurs et qui a ravi son cœur. Jésus, notre Sauveur, en s'incarnant et en donnant sa vie a renouvelé cette alliance de Dieu éternellement fidèle à l'humanité. Chez Marie, cette approche du Cœur de Jésus s'est donc vécue dans une unification, à l'intérieur du mystère de l'Alliance.

Grâce sur grâce

> Notre Seigneur, dont les amabilités sont infinies, me découvrit d'une manière très spirituelle ce qu'il avait fait pour les hommes et jusques à quel point son amour l'avait

[22] *Témoignage*, p. 55-56.

> réduit en considération de leur salut. [...] il me donnait de grandes lumières sur le mystère de l'Incarnation et sur l'union du Verbe avec l'Humanité sainte de Jésus Christ. Une fois surtout, durant un carême [1625], [...] les lumières qui me furent communiquées alors touchant ce sacré mystère de l'Incarnation sont une chose si sublime que je n'en puis exprimer autre chose que ce que l'Église en dit. [...] Je n'avais jamais rien conçu de pareil[23].

Cette lumière sur la profondeur du mystère de l'Incarnation et de la Rédemption affine la compassion de Marie envers Jésus crucifié. Sa prière prend alors une dimension apostolique au souvenir de ce que le Seigneur a fait, et jusqu'où il en est arrivé pour nous sauver. Par suite, la souffrance de cette contemplative devient plus vive lorsqu'elle voit tant de chrétiens indifférents à l'amour du Christ pour nous. En conséquence, la contemplation de la passion de Notre Seigneur ravive l'admiration qu'elle porte déjà à la vie consacrée.

> Elle me donnait un nouvel amour pour la religion, où hors de l'embarras du monde, se pratiquaient les maximes du Fils de Dieu. Je gémissais jour et nuit, et les liens qui me retenaient dans le monde m'étaient de plus en plus pesants. Néanmoins j'expérimentais que Notre Seigneur voulait que je fusse ainsi attachée, et il adoucissait ma douleur par le ressouvenir de ses paroles : « Mon joug est doux et mon fardeau est léger[24]. » Puis il influait en mon âme l'efficacité de ces divines paroles, ce qui calmait ma

[23] *Ibid.*, p. 58-59.
[24] Mt 11, 28.

douleur et la faisait courir en ses voies, parmi les choses les plus grossières et matérielles, où étant appliquée de corps, l'esprit était continuellement lié au suradorable Verbe Incarné[25].

Telle une amoureuse, Marie garde l'œil sur son Bien-Aimé : « S'il fallait parler au prochain, mon regard ne sortait point de celui que j'aimais ; et l'attention à ce qui était nécessaire ne m'ôtait point celle que j'avais à Dieu. [...] Enfin, que tout le monde fût présent, rien n'était capable de me divertir[26]. »

Au quotidien de la charité

Marie assume toujours la responsabilité des domestiques. Malgré sa jeunesse et sa situation de femme, la jeune veuve, conservant la maîtrise d'elle-même, sait conduire un personnel masculin dans un esprit de douceur et de charité. L'incident suivant en fait foi :

> Alors que je faisais la correction à quelque domestique, c'était dans ce même esprit [de douceur et de charité]. Une fois, il y en eut un qui me fit un grand affront au sujet d'une affaire que j'avais à traiter avec une personne assez considérable. C'était en apparence pour me discréditer, quoique peut-être il n'en eût pas l'intention, mais cela pouvait venir d'imprudence. Néanmoins cela porta beaucoup en l'esprit de la personne avec laquelle j'avais à

[25] *Témoignage*, p. 59.
[26] *Ibid.*

traiter, en sorte qu'il me fallut boire la confusion entière, à la connaissance de plusieurs autres. Je n'en eus aucun sentiment contre ce pauvre homme ni ne lui en dis jamais mot. Notre Seigneur me fit la grâce de souffrir ce petit mépris pour l'amour de lui, et plusieurs autres avec, en diverses occasions[27].

Marie, la femme forte, n'en est pas moins humaine et sensible. Dans l'incident cité plus haut, elle se sent humiliée et décriée de la part d'un employé. Pourtant, devant ce qui nous semble une évidence, elle adoucit ses commentaires en n'interprétant pas les motifs de l'offenseur : « peut-être qu'il n'en avait pas l'intention ». Dans ce fait, nous voyons Marie prendre du recul, revenir à sa source intérieure et à sa raison de vivre : « Notre Seigneur me fit la grâce de souffrir pour l'amour de lui. »

[27] *Ibid.*, p. 60.

5
VISION DE LUMIÈRE ET D'AMOUR

La jeune Marie Guyart a bien saisi le désir de Notre Seigneur : il veut que son cœur devienne un *réceptacle* où il pourra déverser ses divines faveurs. À cette fin, le Seigneur développe de plus en plus chez elle le désir de la pureté. Elle entend par là la nécessité d'éviter et de n'entretenir aucun entre-deux qui risquerait de nuire à sa relation à Dieu.

Alors que Marie vit et travaille encore dans cette grande maison où vie familiale et négoce se côtoient, sa vie intérieure atteint une profondeur étonnante. Voilà que, en 1625, cette ouvrière laïque et chercheuse de Dieu est plongée dans une expérience merveilleuse. Près de trente ans plus tard, elle la relate à son fils, Claude. Relevons-en quelques extraits.

> Un matin, qui était la deuxième fête de la Pentecôte [le lundi de la Pentecôte], entendant la messe [...] ayant les yeux levés vers l'autel [...] en un instant mes yeux furent

> fermés et mon esprit élevé et absorbé en la vue de la très sainte et auguste Trinité, en une façon que je ne puis exprimer. [...] Elle me faisait connaître que mon âme était dans la vérité ; et cette vérité me faisait voir le commerce qu'ont ensemble les trois divines Personnes. [...] Mon âme étant informée de cette vérité d'une façon ineffable, qui me fit perdre tout mot. Ensuite, elle entendait l'amour mutuel du Père et du Fils produisant le Saint-Esprit. [...] Elle entendait et expérimentait comment elle était créée à l'image de Dieu[1].

En observant de plus près ce récit, nous découvrons des effets de cette expérience mystérieuse. Premièrement, Marie est rassurée puisqu'elle est dans la vérité ; deuxièmement, elle est témoin de la relation trinitaire ; troisièmement, elle saisit l'amour mutuel du Père et du Fils dans l'Esprit ; enfin, quatrièmement, elle voit que la création est à l'image de Dieu.

Plongée dans une lumière sans fond, Dieu la touche et l'établit dans la vérité. Cette faveur lumineuse révèle à Marie une vérité de notre foi qui concerne toute personne créée à l'image de Dieu : elle est habitée de la vie et de l'intimité de la vie divine.

> Je pâtissais toutes ces lumières. [...] Mon âme était abîmée dans ce Tout où elle voyait et entendait des choses inexplicables. [...] Elle était absorbée dans cette immense lumière de Dieu et elle portait dans cette impression la grandeur de la Majesté, qui ne lui permettait pas de lui parler. [...] Ces grandes choses ne peuvent jamais

[1] *Témoignage*, p. 61-63.

s'oublier, et j'ai encore celles-ci aussi récentes qu'alors qu'elles arrivèrent[2].

Même si certains de ces effets sont perceptibles, cet accès extraordinaire à l'intimité de la relation trinitaire laisse entier, pour Marie et pour nous, ce mystère de notre foi. Aussi, l'inédit et l'intensité de cette révélation font en sorte que Marie vérifie la véracité de son expérience.

> Il me vint une grande crainte d'être trompée et que ce ne fût quelque piège du diable ou de l'imagination, [...] pour me retarder dans la vie spirituelle et dans la pratique de la vertu. Quoique le R. P. dom Raymond me rassurât là-dedans, néanmoins, j'étais toute craintive, jusqu'à ce qu'une fois, étant à l'oraison, doutant et craignant actuellement sur ce sujet, une voix intérieure me dit : « Demeure là, c'est ton nid. » En ce moment, je fus assurée, et cette parole porta par son efficacité la paix à mon cœur, en sorte que je demeurai dans ce saint mystère [...] Si les paroles de Dieu sont des œuvres, quel effet eut celle-là !
> Il est à remarquer qu'il n'en est pas dans les occupations et lumières qui viennent de Dieu comme des choses qui se lisent dans les livres, [...] celles-là font une telle impression dans l'âme que toujours on s'en souvient et on est établi là-dedans[3]. Ce lui est assez de savoir, par une science expérimentale d'amour, qu'Il est en elle et avec elle, et qu'Il soit Dieu[4].

---

[2] *Ibid.*, p. 63-64.
[3] *Ibid.*, p. 66.
[4] *Ibid.*, p. 65- 67.

Tout lui advient gratuitement alors qu'elle est en prière : lumière, paix, souvenir des traces laissées par Dieu qui passe dans sa vie. Par le récit de cette expérience spirituelle, Marie apprend aux baptisés la profondeur de ce qui leur est donné de vivre et le nécessaire consentement à être aimé de Dieu.

> Dans l'ordre du salut, l'essentiel n'est pas tant la participation humaine que l'intervention divine. La connaissance à laquelle nous pouvons accéder compte beaucoup moins que l'amour du Christ à notre égard. Il s'agit moins de connaître que d'être aimé et de le savoir, sans jamais pouvoir saisir la profondeur de cet amour[5].

On ne se donne pas d'expérimenter une grâce de Dieu. L'Écriture sainte demande aux baptisés de croire pour de bon en l'amour et de désirer vivre de cette révélation de Jésus dans l'évangile : « Demeurez en mon amour. Si vous gardez mes commandements, vous demeurerez dans mon amour. Voici quel est mon commandement : vous aimer les uns les autres comme je vous ai aimés[6]. »

Cheminement vers le mariage spirituel

Quand Dieu entre dans la vie de quelqu'un, si subite et inattendue que soit sa présence, il dispose toujours

---

[5] Maria-Paul Del Rosario Adriazola, *La connaissance spirituelle chez Marie de l'Incarnation*, p. 345.

[6] Jn 15, 9-10 et 12.

intérieurement à le recevoir. Lui qui est le don, il suscite en celui en qui il vient, l'accueil de son don[7].

J'avais, gravées en ma mémoire, les paroles qui m'avaient été dites dans l'intérieur : « Je t'épouserai dans la foi. » Et cependant le mariage n'est pas encore consommé. [...] Quoiqu'elle possède une paix et une très grande réjouissance, qu'elle soit toute regorgeante de charité, il y a encore des préparatifs à disposer pour le mariage, et l'âme fait ce qu'elle peut de son côté, autant que sa bassesse le lui peut permettre. Mais il est question d'une affaire si haute et si sublime qu'il faut que le Bien-Aimé y mette la main afin qu'elle confesse, lorsqu'elle sera arrivée à la possession de son bonheur, que tout a été l'ouvrage de son Bien-Aimé[8].

En conséquence de cette période des préparatifs requis pour entrer plus avant dans l'intimité divine, et après la première révélation du mystère trinitaire, la prière de Marie s'en trouve transformée. Bien plus, Marie est immergée à nouveau dans la grâce divine. Elle en précise le moment : « Ce fut une semaine sainte », en 1626. Marie a 27 ans et elle est de plus en plus impliquée dans l'entreprise des Buisson.

Ensuite de ces diverses purifications, la divine Majesté donna à mon âme une impression très vive des Attributs divins et de ses perfections essentielles. Cette impression fut tout ensemble amour et lumière, mais il semble qu'en

[7] Pierre Gervais, *Marie de l'Incarnation. Études de théologie spirituelle*, p. 153.

[8] *Témoignage*, p. 59.

> cet état c'est l'amour qui engendrait la lumière. [...] je disais : Ô Bonté, Ô Immensité, Ô Éternité ! [...] Cela me remplissait et me transformait toute. [...] Je voyais que toutes choses sont dues et appartiennent à ce Dieu duquel dérive tout ce qui est beau et tout ce qui est bon [...] Je voyais Dieu en toutes choses et toutes choses en Dieu et cette infinie Majesté était à mon égard comme une grande mer [...] qui me couvrait, m'inondait et m'enveloppait de toutes parts. [...] Mon esprit était content de ce que son Dieu est content, et de ce qu'il est et sera éternellement ce qu'il est.
>
> J'écris simplement ce que je crois être selon la vérité, et comme j'ai dit, ce que l'Esprit qui me conduit me presse de dire. [...] Tout le temps que cette impression dura dans son premier état, elle n'empêcha point l'expédition des affaires qui m'étaient commises, ni les actions de charité qui soutenaient en quelque façon la nature[9].

Quel contraste ! Dans l'entreprise des Buisson, Madame Martin est sollicitée à longueur de journée et à un point tel que cette tâche suffirait amplement à garder une personne hors de son centre intérieur. Sauf que Marie trouve le moyen de sauvegarder son équilibre. Tout au long de sa vie, au Canada y compris, une nécessaire prière profonde lui sert de contrepoids à ce qui la sollicite de l'extérieur.

Dans ses écrits, jamais on ne repère la moindre trace de doléance. Ses obligations, envers son fils et à l'égard de son beau-frère, ne lui paraissent pas du temps volé

---

[9] *Ibid.*, p. 76, 77-80.

au Seigneur parce que tout lui est occasion d'aimer. Au milieu du tumulte des affaires, dans une activité et un bruit continuels, dans un impossible isolement, malgré tout, elle est submergée dans une mer de lumière, envahie par Dieu. Marie Guyart s'abandonne à Dieu. Son « Grand Dieu » lui est à la fois infiniment digne de respect et si proche, source de joie et « nourrissement ». C'est qu'en Dieu, elle bâtit sa maison comme sur un rocher[10].

L'expérience de Marie Guyart-Martin invite à prêter attention à la portée des mots et des expressions de l'Écriture sainte. Par exemple, le Seigneur l'avise de sa visite et la prépare. « Voici, je me tiens à la porte et je frappe ; si quelqu'un entend ma voix et ouvre, j'entrerai chez lui pour souper, moi près de lui et lui près de moi[11]. »

> J'ai toujours expérimenté qu'alors que la divine Majesté m'a voulu faire quelque grâce extraordinaire, outre les préparations et dispositions éloignées, j'expérimentais, la chose étant proche, qu'elle m'y disposait d'une façon très particulière par un avant-goût qui, dans sa paix, ressentait le paradis. Je ne puis m'exprimer autrement pour la dignité de la chose. Dans ces pressentiments, je lui disais : « Que voulez-vous me faire, mon cher Amour[12] ? »

Marie entend frapper à la porte de son cœur et elle s'ouvre à une visite mystérieuse. Au premier abord, on croirait cette expérience réservée aux mystiques.

---

[10] Voir Mt 7, 24.
[11] Ap 3, 20.
[12] *Témoignage*, p. 81.

Pourtant, en invitant à veiller, le Seigneur ne signale aucune restriction quant aux portes où il frappera. La consigne demeure pour tous : « Veillez, puisque vous ne savez pas quel jour votre Seigneur va venir[13] », « ni l'heure[14] ».

Deuxième vision trinitaire

> Un matin [1627], étant en oraison, Dieu absorba mon esprit en lui par un attrait extraordinairement puissant et d'une manière toute d'amour. [...] La vue de la très auguste Trinité et de sa grandeur en l'unité des trois divines Personnes me fut communiquée, et ses opérations manifestées d'une façon plus élevée et plus distincte qu'auparavant et tout autre que ce qui m'en avait été enseigné, en ce qui regarde la connaissance et l'amour[15].

Si le vocabulaire de Marie ne nous est pas particulièrement familier, son expérience n'en demeure pas moins éclairante pour les croyants. D'abord, elle raconte à son directeur spirituel cette deuxième expérience trinitaire. Et en 1654, quand elle la décrit à son fils, elle est désormais en mesure de comparer son expérience de 1625 à celle de 1627.

> La première fois, j'étais plus dans l'admiration que dans l'amour et dans la jouissance : l'impression que j'en avais

---

[13] Mt 24, 42.
[14] Lc 12, 40.
[15] *Témoignage*, p. 81.

eue avait fait son principal effet dans l'entendement, et, comme j'ai dit ci-devant, il semblait que la divine Majesté ne me l'avait faite que pour m'instruire et m'établir, et me disposer à ce qu'elle me voulait faire après.
Mais, en cette occasion-ci, quoique l'entendement fût aussi éclairé et même plus qu'en la précédente, je fus plus dans la jouissance et dans l'amour que dans l'admiration : la volonté emporta le dessus, parce que la grâce présente était toute pour l'amour, et par l'amour, mon âme se trouva toute en sa privauté et la jouissance d'un Dieu d'amour[16].

« Je t'épouserai dans la foi » : parole donnée, parole tenue !

> Comme abîmée en la présence de cette suradorable Majesté, Père, Fils et Saint-Esprit, en lui rendant mes adorations, la sacrée Personne du Verbe divin me donna à entendre qu'il était vraiment l'Époux de l'âme fidèle. [...] En ce moment, cette suradorable Personne s'empara de mon âme et l'embrassant avec un amour inexplicable l'unit à soi et la prit pour son épouse[17].

Marie a une manière bien personnelle de dire jusqu'à quel point le Seigneur l'entraîne dans une profonde intimité avec lui. Elle nomme les trois phases de ce mariage spirituel : le Verbe s'empare de l'âme, l'unit à soi, la prend pour épouse. Pour elle s'accomplit ce passage

[16] *Ibid.*
[17] *Autobiographie*, p. 62-63.

de l'Écriture : « Si quelqu'un m'ouvre, j'entrerai chez lui pour souper, moi près de lui et lui près de moi[18]. »

Ces expériences mystiques ne sont pas racontées fréquemment pour un large public. Cette constatation porte à penser qu'elles sont peut-être rarissimes. Ce récit de Marie de l'Incarnation a le mérite d'apprendre au commun des mortels jusqu'où la fidélité de Dieu peut choisir de conduire une âme fidèle. Si quelqu'un m'ouvre ! Si l'amour garde intacte la liberté humaine, il éduque qui se livre à sa puissance. « Moi, tous ceux que j'aime, je les reprends et les corrige. Sois donc fervent et repens-toi[19]. »

À propos des récits de ses expériences spirituelles, notons une fois encore que Marie met en garde contre une compréhension qui s'en tiendrait au pied de la lettre de ses écrits. Par exemple, les mots « impression » et « jouissance » reviennent sous sa plume. Le sens donné par Marie à ces mots dépasse sûrement le niveau des émotions et des sentiments puisque la personne se perçoit alors transformée dans tout son être.

Marie vit une plénitude qu'elle partage à son fils en lui en confiant encore davantage. En compagnie de Claude, écoutons-la longuement pour apprendre de cette mystique.

> Je dirai mieux, disant que les puissances de mon âme étaient toutes dans le Verbe, qui y tenait lieu d'Époux, donnant privauté et faculté à l'âme de tenir rang d'épouse,

---

[18] Ap 3, 20.
[19] Ap 3, 19.

laquelle en cet état expérimentait que le Saint-Esprit était le moteur qui la faisait agir de la sorte avec le Verbe[20]. Cela arrive si subitement qu'il n'y a qu'un Dieu de bonté, tout puissant d'agir sur sa créature, qui puisse faire une telle impression et opération. [...] Ô mon divin Amour ! c'est vous-même qui êtes la cause que je suis si hardie avec vous. Je vous reconnais pour mon Grand Dieu, mais aussi vous êtes mon grand Amour. [...]
Et mon âme expérimentait sans cesse ce moteur gracieux, le Saint-Esprit, lequel, dans le mariage spirituel, avait pris possession d'elle et la brûlait et consommait d'un feu si suave et si doux qu'il n'est pas possible de le décrire. Il lui faisait chanter un épithalame continuel, un chant de noce, de la façon et manière qui lui plaisait. [...] cet épithalame est le retour et les revanches de l'âme vers son bien-aimé Époux[21].

« Cela arrive si subitement. [...] » La soudaineté paraît une caractéristique des signes révélateurs de la divinité de Jésus dans l'Évangile : « aussitôt, il fut purifié » ; « aussitôt elle se leva » ; « aussitôt la lèpre le quitta[22] ». Un état de fait. Pas un instant pour une quelconque intervention humaine.

L'Écriture sainte utilise d'une façon continue la symbolique conjugale. Plus qu'une image, elle est une réalité dont la trame porte une promesse d'Alliance depuis le livre de la Genèse, dans l'aventure conjugale du prophète Osée, chez les grands Prophètes, jusqu'au

---

[20] *Témoignage*, p. 84.
[21] *Ibid.*, p. 85.
[22] Mt 8, 3 ; 13, 5 ; Lc 5, 13 ; Jn 18, 27.

temps où l'Église est présentée comme l'Épouse du Christ dans l'Apocalypse. À partir de maintenant, la fécondité spirituelle de Marie devient « sponsale » et apostolique. À la façon d'une épouse, les intérêts de Jésus Christ, l'Époux de son âme, deviennent les siens, elle les prend désormais à cœur et pour la vie. Marie se souvient du changement opéré en elle alors que sa relation à Dieu devient tout autre.

> Dans le mariage spirituel, mon âme changea entièrement d'état. [...] Maintenant, elle n'avait plus de tendance parce qu'elle possédait Celui qu'elle aimait et qu'elle était toute pénétrée et possédée de Lui. [...] Elle était à l'Amour et l'Amour était à elle. Elle se sentait perdue en cet Océan [...] elle jouissait des richesses infinies de son Époux par la communication de ses biens[23].

Marie vit désormais dans une grande intimité avec le Verbe de Dieu, dans une recherche de sa gloire et du règne de son Époux. « Que ton règne arrive ! » désormais, dans son labeur quotidien, elle partage le labeur de Jésus pour le salut du monde. « Elle redouble ses pénitences et se consomme davantage dans les actions de charité envers son prochain, se faisant toute à tous pour les gagner à son Bien-Aimé[24]. »

> En toutes ces actions, il m'était avis que c'était pour mon divin Époux. J'avais une agilité du corps, en sorte que tout m'était rendu facile en ce sentiment. [...] J'étais

[23] *Témoignage*, p. 87.
[24] *Autobiographie*, p. 62-63.

contrainte de céder à Celui qui possédait mon âme pour soulager les fatigues auxquelles je m'étais réduite pour son amour[25].

Le sens de sa vie : suivre le Seigneur. Son existence est consacrée à plaire à son Époux dans une vie de service fraternel. « En ces actions basses, [...] je trouvais un trésor[26]. »

Sage en sa démarche, elle s'adonne à des lectures de spiritualité.

> J'avais de grandes inclinations de suivre les traces ordinaires des âmes dévotes, estimant que c'était le plus sûr chemin[27]. [...] Ce qui me soulageait, c'était, comme dans les états précédents, les actions extérieures avec le prochain ; [...] quand même il eût fallu passer les nuits, comme en effet il m'en fallait passer une grande partie pour la charité, [...] continuellement chargée de tant d'affaires, qu'on peut facilement connaître que Notre Seigneur faisait tout pour moi, étant impossible d'y pouvoir satisfaire par mes forces naturelles[28].

Dévoilant les merveilles de son alliance avec Dieu, du même coup, apparaissent les effets des Épousailles.

> Un continuel renouvellement de notre alliance ; un mélange d'amour et d'amour ; mon Bien-Aimé est à moi et moi à Lui, mais à Lui entièrement ; éclairée d'une grande

---

[25] *Ibid.*, p. 67.
[26] *Témoignage*, p. 89.
[27] *Ibid.*, p. 92.
[28] *Ibid.*, p. 96-97.

> lumière de la Divinité, [...] suréclairée comme par le soleil ; une union d'amour très particulière ; une grande clarté, cette grande lumière la tenant dans le respect. [...] En cette union, l'âme voyait que tout ce qui est à son Bien-Aimé était sien et que tout ce qui était sien était à son Bien-Aimé, toute transformée en Lui ; [...] cette lumière qui me montrait que Dieu veut être aimé, [...] j'en parlais avec plaisir à ceux de ma connaissance qui venaient à ma rencontre[29].

La jeune femme travaille du matin à tard dans la soirée, grugeant même sur ses nuits. Pourtant elle relativise la fatigue de ces longues heures dans une action qui lui tient tant à cœur : « elle ne fît autre chose que d'apprendre à quelque petite âme à servir la très sainte Vierge[30] ».

Le Seigneur continue de l'éclairer sur la très sainte Trinité.

> Un jour, étant en oraison [1627], il me fit connaître que le Fils de Dieu, seconde Personne de la très sainte Trinité, était comme le sein et la poitrine du Père. [...] Dans ce sein, que je voyais aussi comme un Autel d'amour, tous les bien-aimés du Père étaient logés et consommés par ses ardeurs, et je voyais que c'était aussi là ma demeure. [...] De plus, de ce sein amoureux sortaient avec impétuosité trois fleuves d'amour par lesquels la très sainte Trinité allait abreuvant tous les Bienheureux et récréait tout le ciel[31].

---

[29] *Ibid.*, p. 98-99.
[30] *Ibid.*, p. 100.
[31] *Ibid.*, p. 101.

Dans sa description, résonnent des passages de l'Écriture sainte.

> « Le Fils unique qui est dans le sein du Père, lui, l'a fait connaître[32]. » Puis il me montra un fleuve d'eau vive qui jaillissait du trône de Dieu et de l'Agneau. Au milieu de la place de la cité et des deux bras du fleuve, est un arbre de vie [...][33]. Le dernier jour de la fête, qui est aussi le plus solennel, Jésus se tint dans le Temple et il se mit à proclamer à haute voix : « Si quelqu'un a soif, qu'il vienne à moi, et que boive celui qui croit en moi. » Comme l'a dit l'Écriture : « De son sein couleront des fleuves d'eau vive[34]. »

Déjà dans le Cœur transpercé de Jésus coule l'eau vive parce qu'à ses amis, notre Sauveur en a laissé le mémorial. « Faites ceci en mémoire de moi. Cette coupe est la nouvelle Alliance en mon sang versé pour vous[35]. » Ces promesses d'abreuver toute soif, de préparer une demeure, de donner un cœur nouveau, une terre nouvelle, tout cela est donné à la jeune dame en une expérience débordante d'espérance. « J'avais vingt-huit à vingt-neuf ans[36]. »

---

[32] Jn 1, 18.
[33] Ap 22, 1-2.
[34] Jn 7, 27-28.
[35] Lc 22, 19-20.
[36] *Témoignage*, p. 113.

L'Eucharistie, un remède

> Je ne saurais exprimer la force et la douceur de cette union de mon âme avec Notre Seigneur, principalement par la sainte communion où je pouvais enfin jouir de mon divin Époux sans interposition d'entre-deux. J'y trouvais un peu de remède à mes angoisses, m'approchant de ce divin sacrement avec un désir extrême d'embrasser, de chérir et de caresser ce sacré Verbe incarné[37].

Au début de sa vie spirituelle, Marie parle des sacrements comme étant « sa nourriture, sa vie » ; elle ajoute maintenant « son remède ». Il semble bien qu'un grand prophète avait entrevu cette merveille d'une alliance qui est nourriture, vie et miséricorde. N'est-ce pas ce qu'il prédit dans un langage imagé ? « Au bord du torrent, sur chacune de ses rives, croîtront toutes sortes d'arbres dont le feuillage ne se flétrira pas et dont les fruits ne cesseront pas ; ils produiront chaque mois des fruits nouveaux, car cette eau vient du sanctuaire. Les fruits seront nourriture et les feuilles un remède[38]. » Quant à Jésus, « Il parlait du temple de son corps[39] » qu'il donnera pour le salut du monde.

Marie de l'Incarnation avait écrit : « Je n'ai pas cessé, mon très cher Fils, de prier pour vous et je ne manque pas de vous offrir sur l'Autel sacré du cœur très aimable de Jésus à son Père éternel. » Claude réagit : « Mais

---

[37] *Ibid.*, p. 107.
[38] Ez 47, 12.
[39] Jn 2, 21.

quoi, me dites-vous, je suis sacrifié sur le cœur qui met l'incendie partout, et je ne brûle pas ? » Et la mère de répondre : « Pensez-vous que nous sentions toujours le feu qui nous brûle, je parle de ce feu divin ; nous ne serions jamais humbles, si nous ne sentions nos faiblesses, et il est bon que l'amour nous rende son feu insensible afin que nous brûlions plus purement[40]. »

---

[40] *Correspondance*, Lettre à son fils, 1er septembre 1643, p. 184.

6

LA VIE RELIGIEUSE : UN DÉSIR PERSISTANT

L'aspiration à la vie religieuse demeure chez Madame Martin. Libérée des liens du mariage, mais liée par la responsabilité de son enfant, elle vit son aspiration dans une espérance confiante.

> Cette vocation, qui ne m'était jamais sortie de l'esprit depuis la première année de ma conversion [1620], augmentait de jour en jour. Elle me suivait partout et j'en entretenais mon divin Époux dans les colloques les plus intimes que j'avais avec lui. S'il y avait quelque chose dans le monde qui me plût, c'était la condition d'une religieuse, et j'en menais la vie et faisais les actions autant qu'il m'était possible. Je ne laissais pas quelquefois d'avoir peur que ce ne fût une tentation : [...] « Hélas ! mon Bien-Aimé, ôtez-moi, s'il vous plaît, cette pensée. [...] J'ai un fils, de qui il faut que je prenne le soin, puisque vous le voulez et que j'y suis obligée, ô mon Dieu ! » Cette plainte était suivie d'un reproche intérieur que je manquais de confiance, cette divine Bonté étant assez

> riche pour mon fils et pour moi. Ainsi je m'abandonnais, n'aimant rien qu'à suivre les conseils que Notre Seigneur nous a laissés dans l'Évangile, attendant l'heure qu'il ordonnerait, avec promesse de lui être fidèle quand il m'en ouvrirait le chemin[1].

La jeune veuve entretient Notre Seigneur de ce qui lui tient à cœur : lui consacrer entièrement sa vie. Réaliste, elle voit bien les obstacles : l'un très sensible à son cœur, son fils, et l'autre, une question financière. Par son vœu de pauvreté, Marie s'est engagée à ne vivre que des dons de son beau-frère et de sa sœur, plaçant alors Claude dans les mêmes conséquences financières. Comme à l'occasion de leur mariage, les futures épouses reçoivent une dot de leurs parents, la même coutume existe à l'entrée en religion. La question de la dot se présente aussi à Marie. Or elle ne possède plus rien. En toute simplicité, elle se plaint à Notre Seigneur. Après tout, c'était pour son amour qu'elle avait renoncé à posséder des biens !

> C'était lui qui me donnait la vue des biens qui sont renfermés dans l'état religieux, c'était lui aussi qui m'en devait donner la possession. [...] alors que je le pressais, j'entendis en mon cœur cette parole amoureuse : « Attends, attends, aie patience. » Cela me fortifiait et m'entretenait dans l'espérance, et cependant je ne faisais point d'autres recherches que d'attendre sa sainte volonté et les moments de son exécution. [...]

[1] *Témoignage*, p. 114.

> Mon recours était l'oraison, où je m'abandonnais de nouveau à Notre Seigneur. [...] L'âme était toujours en sa paix foncière et dans la conformité à la volonté de Dieu, qui était toute sa suffisance, son contentement et sa vie[2]. Son Esprit me faisait expérimenter ces paroles de saint Paul : « L'Esprit vient au secours de notre faiblesse ; car nous ne savons que demander pour prier comme il faut ; mais l'Esprit lui-même intercède pour nous en des gémissements ineffables, et Celui qui sonde les cœurs sait quel est le désir de l'Esprit et que son intercession pour les saints correspond aux vues de Dieu[3]. » [...] je me sentis toute changée et fixe à le regarder et à écouter ses divines paroles[4].
>
> Mon âme demeura dans une très grande paix et certitude, sans toutefois que je susse les moyens que Notre Seigneur tiendrait pour me tirer du monde ni en quelle religion il me voulait placer, car tout devait venir de sa Providence, vu que j'étais destituée de tous biens[5].

Elle insiste auprès d'un Époux qu'elle aime et dont elle est sûre. Depuis des années, elle répète : « En toi, j'ai mis mon espérance, je ne serai pas déçue[6]. » Dans la tentation, elle se tourne vers son Bien-Aimé et la prière de l'Esprit s'empare de la sienne, car la paix a pris demeure en elle : « Paix à cette maison[7]. »

---

[2] *Ibid.*, p. 114-115.
[3] Rm 8, 26-27.
[4] *Témoignage*, p. 117.
[5] *Ibid.*, p. 119.
[6] Ps 69, 7.
[7] Lc 10, 5.

Un discernement en cours

Le Seigneur ne se présente pas à l'improviste : il sème un désir et donne des dispositions pertinentes pour répondre à l'appel.

> Dès que j'eus les premières et fortes impressions de quitter le monde, ce fut d'être Ursuline, parce qu'elles étaient instituées pour aider les âmes, chose à laquelle j'avais de puissantes inclinations. Or, il n'y en avait point à Tours en ce temps-là, et je ne savais pas non plus où il y en avait ; j'avais seulement entendu parler d'elles[8].

La raison pour laquelle elle affectionne les Ursulines est très claire. Marie demeure attentive à la « pente » de son cœur et elle se maintient dans un réalisme évident. « L'objet m'étant donc absent, je m'arrêtais au présent[9]. » Elle souhaite une communauté accessible, mais son premier choix reste logé dans sa pensée : les Ursulines. Par ailleurs, on lui parle des Feuillantines reconnues par leur austérité de vie. Établies à Tours depuis 1608, les Carmélites ont aussi son estime. « Néanmoins, Dieu ne me voulait ni en l'un ni en l'autre de ces deux saints Ordres. Cependant, j'attendais ce qu'il ordonnerait de moi, comme d'un bon Père et de mon divin Époux, gardant le mieux qu'il m'était possible les vœux de pauvreté, d'obéissance et de chasteté, sans faire élection de telle ou telle religion[10]. »

---

[8] *Témoignage*, p. 119.
[9] *Ibid.*
[10] *Ibid.*

Pendant cette étape de discernement, elle est toujours à l'emploi de son beau-frère qui ne se prive pas de ses services. Mère d'un fils, laïque consacrée et fidèle à ses vœux, elle attend la réalisation de son désir de vie religieuse comme « d'un bon Père » et de son « divin Époux ».

Arrivée des Ursulines à Tours

En août 1622, les Ursulines s'établirent dans un quartier de Tours. Leur logis devenant vite trop étroit en raison de leurs besoins, en 1625, elles emménagèrent à la « Petite Bourdaisière », une maison mieux adaptée aux exigences de leur œuvre d'éducation. Ce logis est situé en face des Carmélites, à proximité du logis des Buisson. Ce rapprochement des Ursulines ne va pas sans aviver le désir de les rejoindre. Le directeur spirituel de Marie croit à sa vocation religieuse, mais il ne pense pas que Dieu la veuille chez les Ursulines. Or Marie est tenue par son vœu d'obéir à son directeur, elle se devait donc d'attendre un changement d'opinion chez le religieux.

> Moi qui croyais que la divine Bonté lui inspirerait ce qu'elle voulait que je fisse, je me tenais en paix, traitant avec elle, afin qu'il lui plût faire de moi et de mon fils ce qu'elle agréerait et aimerait le plus. Et ainsi mon esprit était libre et abandonné sans qu'il pût rien vouloir élire[11]. [...] Or, toutes les fois que je passais devant leur monastère qui était sur le chemin que je prenais chaque jour pour

[11] *Ibid.*, p. 120.

aller à la messe et à mes affaires, mon esprit et mon cœur faisaient un mouvement subit qui m'emportait en cette sainte maison. Et plusieurs fois le jour que je passais par ce lieu, c'était toujours le même. Je sentais en moi une telle émotion qu'il semblait que mon cœur se dût arrêter en cette place avec une affection d'y demeurer.
Je faisais souvent réflexion sur les pensées que Notre Seigneur me donnait de l'utilité de cet Ordre. [...] Il m'était avis que je devais faire plus d'état de cela que de toutes les austérités des autres, et que sa bonté m'ayant fait, parmi les embarras du siècle, toutes les faveurs dont j'ai parlé, cet Ordre me serait plus propre qu'aucun autre, la conversation avec le prochain y étant encore conforme à celle que Notre Seigneur a eue ici-bas dans l'instruction des âmes.
Je me ressouvenais que la première pensée que j'avais eue d'être religieuse après ma conversion [1620], avait été d'être Ursuline, bien que jamais je n'en eusse vu et que je n'eusse jamais entendu parler de leurs fonctions, et cette pensée m'était toujours demeurée dans l'esprit. [...] J'attendais en paix les ordres de la volonté divine, laquelle, quand elle me serait connue, j'étais entièrement résolue de m'y soumettre quoi qu'il en dût arriver[12].

Secrètes voies de Dieu

Les Ursulines auraient-elles fait appel aux services de l'entreprise des Buisson, ce qui aurait procuré à Marie

[12] *Ibid.*, p. 120-121.

l'heureuse obligation d'entrer en contact avec elles ? C'est bien ce que laisse entendre le fait suivant :

> Dans ce temps-là, il se présenta une occasion qui m'obligea de rendre visite à la Révérende Mère Françoise de Saint-Bernard, alors sous-prieure des Ursulines. Cette visite fut suivie de beaucoup d'autres, qui bientôt formèrent entre nous une amitié toute sainte et très vive. Quoique j'eusse cette grande familiarité avec elle, je n'eus jamais la hardicssc ni même l'instinct intérieur de la prier de m'aider, me sentant toujours poussée intérieurement de laisser le tout entre les mains de Dieu[13].

Depuis une dizaine d'années, Marie vit dans le brouhaha d'un commerce, des employés sous ses ordres et entre les sautes d'humeur de son patron. Les moments passés avec cette douce amie ursuline lui procurent sans doute ce calme connu déjà dans la maison de son père.

Chez Marie, quelle maîtrise d'elle-même ! Quelle confiance en Dieu ! Elle ne s'avance pas alors qu'elle a, à portée de la main, l'occasion de sonder la porte du couvent ! De son côté, la Mère sous-prieure n'est-elle pas favorisée d'une expérience bien particulière dans la rencontre de cette jeune femme dont la profonde vie spirituelle est étonnante ? Depuis son Incarnation, le Seigneur choisit de se servir de médiations humaines : il semble que c'est ce qui se passe mystérieusement maintenant.

---

[13] *Ibid.*, p. 121.

> Enfin, mon divin Époux fit connaître à mon Directeur qu'il me voulait aux Ursulines. Il commença donc à prendre cette affaire à cœur et à en traiter avec la Révérende Mère Françoise de Saint-Bernard, qui fut de son sentiment et résolution de concourir à cela lorsqu'elle verrait une occasion favorable. Moi, je la voyais toujours bien confidemment, mais sans lui en parler, car j'avais une pente qu'il fallait laisser faire Dieu.
>
> Quelque temps se passa. [...] Enfin, ayant atteint l'âge de trente ans [1629], il lui plut me donner une connaissance particulière que le temps était venu. [...] Une voix intérieure me poursuivait partout qui me disait : « Hâte-toi, il est temps ; il n'y a plus rien à faire pour toi dans le monde[14]. »

Expérimentant ce mouvement de la grâce vers la réalisation de son plus cher désir, Marie n'en maintient pas moins son attitude de grande charité envers le couple Buisson. Et elle garde fidèlement son vœu d'obéissance par lequel elle s'est engagée à leur obéir. Or, les Buisson, ignorant ce projet de vie religieuse qui mûrit en silence, lui confient de plus en plus de responsabilités. « L'on voyait que j'avais une forte batterie de ce côté-là, comme en effet j'y en ai eu une très grande[15]. »

Marie reconnaît ses talents de femme d'affaires et son entourage immédiat sait très bien en tirer profit. Une saine humilité la garde vraie dans son estime d'elle-même tandis que son dévouement ne se dément pas.

---

[14] *Ibid.*, p. 122.
[15] *Ibid.*

> Cette même année 1630 (où je venais d'avoir mes trente ans), la Mère Françoise de Saint-Bernard fut élue prieure en leur couvent de Tours. Dès l'heure, Dieu lui donna l'inspiration d'intervenir auprès de sa communauté pour que j'y fusse reçue. Elle m'envoya quérir le même jour pour me témoigner la bonne volonté qu'elle avait pour cela.
> Sortant de notre logis pour l'aller trouver, il me vint en pensée qu'elle m'allait offrir une place et en effet, l'ayant saluée, elle me dit fort agréablement : « Je sais ce que vous avez dans la pensée ; vous pensez que je m'en vais vous offrir une place : oui, je vous l'offre. » Je fus toute surprise d'admiration de voir une telle charité, et j'en fus très touchée ; mais sur l'heure, je n'en fis pas semblant, parce que je voulais savoir de mon directeur ce que j'avais à répondre. Je la remerciai donc simplement, sans m'ouvrir davantage[16].

Sa maîtrise d'elle-même lui permet de contenir sa joie et d'attendre l'opinion de son directeur, en fidélité à son vœu d'obéissance. Par ailleurs, cette nouvelle, pourtant heureuse, rapproche Marie d'une échéance déchirante, quitter son fils.

> Ce que raisonnablement parlant, je trouvais important de mon côté était mon fils qui n'avait que douze ans, dénué de tout bien. [...] Notre bon Dieu me donnait une confiance qu'il aurait soin de ce que je voulais quitter

[16] *Ibid.*, p. 123.

> pour son amour, pour suivre avec plus de perfection ses divins conseils. [...] J'aimais mon fils d'un amour bien grand, et c'était à le quitter que consistait mon sacrifice ; mais Dieu le voulant ainsi, je m'aveuglais volontairement et commettais le tout à sa Providence[17].

Dom Raymond, son directeur, apprenant l'ouverture des Ursulines au projet de Marie Guyart, obtient de l'Archevêque l'autorisation nécessaire de sa part pour que le couvent puisse la recevoir sans dot. Par ailleurs, les objections et les entraves qui se présentent alors sur son chemin sont des plus pénibles au cœur de Marie.

Une forte opposition vient de sa sœur et de son beau-frère qui se voient perdre une parente et une employée des plus fiables et de grande compétence. Dom Raymond intervient en prenant sur lui de les aider à cheminer vers l'acceptation de la vocation religieuse de Marie. Non seulement il les gagne à sa cause mais, de plus, il leur fait promettre de se charger de l'éducation et des études de Claude, leur neveu. Au fond, les Buisson aiment Marie et son fils comme leur propre fille, surtout que les deux enfants sont élevés ensemble.

Marie n'est pas encore au bout de ses peines avant d'en arriver à la réalisation de son entrée en communauté. En effet,

> Lorsque j'étais sur le point d'exécuter mon dessein, Notre Seigneur m'envoya une pesante croix, et la plus sensible que j'eusse eue dans ma vie. Quinze jours avant

[17] *Ibid.*, p. 123-124.

mon entrée, mon fils, qui ignorait mon dessein, n'avait pas encore douze ans accomplis, qu'il lui prit envie de s'en aller à Paris pour se faire religieux, avec un bon Père Feuillant qu'il connaissait, [...] mais ce bon Père partit sans lui en rien dire. Lorsqu'il le sut, il s'en attrista, et sans me dire mot de ce qu'il projetait, il s'en alla.

Il fut trois jours perdu, sans qu'on pût le recouvrer, quelque perquisition qu'on eût pu faire, car j'avais mis du monde en campagne de tous côtés. Je croyais assurément ou qu'il fût noyé ou que quelque homme perdu l'eût emmené. Plusieurs semblables pensées troublaient mon esprit et je souffrais beaucoup plus au dedans que je ne le faisais paraître à l'extérieur. Je pensais surtout que Dieu avait permis cela pour me retenir dans le monde, ne voyant pas qu'il y eût d'apparence d'effectuer mon dessein si mon fils ne se retrouvait. Ô Dieu ! que je n'eusse jamais cru que la douleur de la perte d'un enfant pût être si sensible à une mère. Je l'avais vu malade presque jusqu'à rendre l'esprit et je le donnais de bon cœur à Notre Seigneur, mais le perdre de la sorte, c'était ce que je ne pouvais comprendre.

Je ne sortais pas cependant de la paix intérieure avec Notre Seigneur, mais cela ne m'ôtait pas la peine sensible d'une telle perte ni de la privation de la chose du monde que j'aimais le plus, savoir, du bien de la religion. [...] Pendant tout le temps de cette perte, c'était pendant l'octave de l'Épiphanie, j'avais gravée en mon esprit la douleur que ressentait la très sainte Vierge, lorsqu'elle perdit dans le Temple le petit Jésus.

D'autres pensées me troublaient et tendaient à me faire croire que toutes les inspirations que j'avais eues de me donner à Dieu et de quitter le monde avaient été des

> tentations plus que de véritables inspirations. Et de plus, tous ceux qui savaient que je devais quitter mon fils, pour me rendre religieuse, enchérissaient encore : tous me condamnaient, disant que c'était là une marque évidente que Dieu ne me voulait pas religieuse. On m'affligeait de toutes parts, et tout cela me traversait au point que je n'osais dire mot, parce que je me condamnais moi-même[18].

Pendant la recherche intensive de Claude, non seulement Marie Guyart se soucie de son enfant, mais elle se questionne sur la véracité de son appel à la vie religieuse. Elle n'en garde pas moins une maîtrise d'elle-même, alors que le blâme généralisé de son entourage la rejoint comme un glaive au cœur. Enfin, après trois jours de recherche par terre et sur eau, « un honnête homme me le ramena, qui l'avait trouvé sur le port de Blois[19] ».

D'où est donc venue à Claude cette idée de fuguer ? Plus tard, comme s'il parlait d'une tierce personne, il donna sa propre version.

> Ce fut une mélancolie profonde où il tomba et qui était comme un pressentiment et un présage du malheur qui allait arriver, si cela pourtant peut s'appeler malheur. Personne ne le caressait comme à l'ordinaire. Il voyait que ses proches, qui avaient connaissance du dessein de sa mère, le regardaient fixement d'un œil de pitié sans lui rien dire, puis se retournant ils conféraient ensemble à basse voix de cette affaire et des suites qu'elle pouvait

---

[18] *Ibid.*, p. 125-126.
[19] *Ibid.*, p. 127.

avoir. Ainsi, ne voyant rien que de triste et de lugubre, ne pouvant plus rien supporter, il prit résolution de se dérober pour s'en aller à Paris chez le correspondant de son oncle[20].

Combat entre l'Amour divin et l'amour maternel

D'une part, le poids de l'Amour de Dieu, et d'autre part, l'intensité de l'amour de la mère pour son fils : un combat se joue. Un choix qui coûte un si grand prix à Marie ! En effet,

> quand elle jetait les yeux sur Claude, c'était avec une compassion qui lui déchirait les entrailles, mais la force de la grâce l'emportait[21].
>
> La voix intérieure qui me suivait partout me disant : « Hâte-toi, il ne fait plus bon pour toi dans le monde », ne cessait de se faire entendre à mon cœur. [...] Mon beau-frère et ma sœur me promirent de se charger de mon fils et de prendre soin de tout ce dont il aurait besoin, tout ainsi que si moi-même je fusse demeurée au monde. Je pris donc la résolution, étant poussée intérieurement, de le laisser en la providence de Notre Seigneur, sous la protection de la sainte Vierge et de saint Joseph, sans avoir d'autre assurance que de simples paroles, que je

[20] Dom Guy-Marie Oury, *Dom Claude Martin, le fils de Marie de l'Incarnation*, p. 20-21.

[21] Dom Claude Martin, *La vie de la vénérable Mère Marie de l'Incarnation*, p. 171.

voyais bien être fort incertaines, comme, en effet, mon beau-frère mourut peu de temps après[22].

Les objections de son entourage ne manquent pas de s'appuyer sur la récente aventure de l'enfant. La famille, les employés de Paul Buisson et les voisins, ces gens connaissent l'enfant et s'inquiètent sans doute eux aussi. Claude, le fils de Madame Martin ! Marie vit cette désapprobation sans trop laisser voir son drame intérieur. Elle recourt à Celui qui lui demande de tout lui donner, même son fils unique !

Je lui disais [à Dieu] qu'il ne permît pas que je commisse une faute en quittant cet enfant, s'il ne voulait pas que je le quittasse mais aussi que, si c'était sa volonté, je passerais par-dessus toutes les raisons humaines pour son amour. [...] Non, je ne veux pas faire ce coup, si vous ne le voulez pas[23].

---

[22] *Témoignage*, p. 127.
[23] *Ibid.*, p. 128.

7
ENTRÉE AU COUVENT DES URSULINES

Heure des adieux

Le prenant à part, le matin même du 2 janvier 1631, la mère informe Claude de son dessein : « J'ai à vous communiquer un grand secret que je vous ai caché jusqu'à présent. » Marie met alors son fils au courant de cette vocation religieuse qui lui tient à cœur depuis tant d'années. Plus tard, Claude se souvient encore des paroles de sa mère :

> Si je n'ai pas exécuté mon dessein, c'est qu'étant jeune comme vous étiez, je n'ai pas voulu vous quitter, croyant que ma présence vous était nécessaire pour vous apprendre à aimer Dieu et à le bien servir. Mais aujourd'hui que je suis sur le point de me séparer de vous, je n'ai pas voulu le faire sans vous le dire et vous prier de le trouver bon. [...] Je vous ai pris ici, en particulier, pour vous demander votre consentement. Dieu le veut, mon fils, et si nous l'aimons, nous le devons aussi vouloir ; c'est à lui de

commander et à nous d'obéir. [...] Ne voulez-vous pas bien que j'obéisse à Dieu qui me commande de me séparer de vous ? La seule réponse de l'enfant désemparé fut : « Mais je ne vous verrai plus[1] » [...]
Alors la mère console son enfant : elle le quitte sans s'éloigner de lui ; elle pourra le voir autant de fois qu'il en manifestera le désir[2]. Le monastère des Ursulines est situé tout près de la maison de son oncle et de sa tante avec qui il continuera d'habiter. Cette proximité des lieux rassure l'enfant. « Puisqu'il en est ainsi que j'aurai la consolation de vous voir et de vous parler, je le veux bien[3] ! »

Départ vers le couvent : 31 janvier 1631

Sortant de notre logis pour entrer dans la maison de Dieu, mon fils vint avec moi, tout résigné. Il y avait bien dix ans que je le mortifiais, ne permettant pas qu'il me fît aucune caresse, comme de mon côté je ne lui en faisais point, afin qu'il n'eût aucune attache à moi, lorsque Notre Seigneur m'ordonnerait de le laisser. Mais tout cela n'empêcha pas qu'il n'eût un très grand ressentiment à ce départ. Il n'osait en marchant me témoigner son affliction, mais je lui voyais couler les larmes des yeux, qui me faisaient bien connaître ce qu'il sentait en son âme. En le voyant qui pleurait amèrement, il me faisait une si grande compassion qu'il me semblait qu'on m'arrachait

[1] Guy-Marie Oury, *Dom Claude Martin, le fils de Marie de l'Incarnation*, p. 22.
[2] *Ibid.*
[3] *Ibid.*

l'âme et qu'on me séparait en deux ; ce que néanmoins je ne laissai pas paraître, parce que Dieu m'était plus cher que tout cela[4].

À la décharge de Marie Guyart-Martin

Cette étape de la vie de Marie de l'Incarnation crée un malaise même chez des admirateurs de cette femme à l'épopée courageuse et audacieuse. Leur admiration se trouble et s'assombrit lorsqu'ils apprennent que Marie Guyart laisse son fils pour vivre son désir personnel d'entrer au couvent.

Au premier abord, en effet, laisser un enfant en bas âge est naturellement désapprouvé comme un abandon inacceptable et un comportement indigne d'une mère. Plus encore, se pose alors une question à propos de l'équilibre psychologique de cette femme.

Qu'il s'agisse de Marie de l'Incarnation, ou qu'il s'agisse des décisions de certains saints, saintes ou mystiques, des facteurs déterminants peuvent échapper au commun des mortels. Le risque est de considérer leurs décisions à partir seulement de la raison, d'un gros bon sens, ou encore, à partir des critères de notre époque moderne. Tous ces aspects, valables en soi, risquent de tronquer leur histoire sainte des motifs spirituels qui l'inspirent, la guident et donnent un sens déterminant à leurs choix.

---

[4] *Témoignage*, p. 129.

Qu'en est-il de l'équilibre psychologique de la mère de Claude ? L'observation des comportements quotidiens habituels de Marie Guyart-Martin apporte des éclairages sur ce qui paraît une si étrange conduite.

L'enfance et l'adolescence de Marie ont été des périodes d'une bonne éducation humaine et chrétienne. Épouse, mère, veuve, femme d'affaires : ses comportements démontrent une maturité évidente dans sa façon d'assumer les événements. Entre 17 et 20 ans, dans un esprit chrétien, tous ces rôles, elle les a déjà tenus en même temps et adéquatement. Surtout à partir de 1620, de par le don de la grâce divine, Marie se maintient d'une façon continue à un haut niveau de spiritualité dont la véracité est reconnue et attestée.

Et quand son existence bascule dans un public d'affaires, elle démontre un sens pratique certain et elle acquiert une compétence dans une entreprise masculine, en même temps qu'elle témoigne d'une généreuse ouverture aux autres. Elle est consultée par des personnes de différents niveaux de la société de Tours et son entourage lui conserve une estime qui ne se dément pas.

De plus, il semble évident qu'elle peut vivre tout aussi librement en second, sous une autorité, qu'à la barre d'un négoce et cela est vérifiable à l'entreprise de son époux ou, quelques années plus tard, au commerce de son beau-frère. Sous cet angle, en tant que femme d'affaires, elle se démarque de l'ensemble de la gent féminine de son temps.

Et qu'en est-il de la relation de la mère avec son enfant ? « Ce fils est encore tout ravi lorsqu'il rappelle en sa mémoire les instructions salutaires qu'elle lui donnait[5]. » Sous la plume de Claude lui-même, devenu Bénédictin, ces paroles nous dévoilent une mère capable d'un langage accessible et approprié puisqu'il le qualifie lui-même de salutaire. Comment ce fils aurait-il pu se permettre une telle insistance pour obtenir de sa mère le récit de sa vie spirituelle, s'il n'avait pas été imprégné de sa bonté et de sa tendre affection ? Il a insisté alors même qu'il savait pertinemment l'importance et la quantité des tâches qui lui incombaient à Québec.

La psychologie de l'enfance n'avait pas encore vu le jour au temps de Marie. Selon cette science moderne, « une mère doit toujours parler à son enfant, car la parole reste quand celle qui l'a prononcée a disparu[6] ».

Marie tarde à parler afin que son enfant ne se chagrine pas inutilement d'avance. C'est vrai : le silence a trop duré ! Mais quand vint l'heure tant redoutée par la mère, en toute honnêteté, elle a donné à son fils les vraies raisons de son départ. Plus encore, elle lui a même demandé son consentement.

Marie a parlé à Claude pendant son enfance : il vivait avec elle. De plus, dans cette grande maison, habitaient non seulement les Buisson et leur fille, mais aussi des hommes et des femmes à leur service ; des clients allaient

---

[5] Dom Claude MARTIN, *La vie de la vénérable Mère Marie de l'Incarnation*, p. 36.

[6] Françoise DOLTO, *Les étapes majeures de l'enfance*, Gallimard, 1994, p. 180, citée par Marie-Dominique FOUQUERAY, *Marie Guyart de l'Incarnation. Un destin transocéanique,* Actes du Colloque à Tours, 1999, textes réunis par F. Deroy-Pineau, éd. L'Harmattan, Paris/Montréal, 2000, p. 183.

et venaient. Tous ces gens connaissaient Claude, ce garçon qui s'amusait avec les autres enfants qui tournaient autour de leur mère, comme lui autour de la sienne. Pour le personnel, il était le fils de Madame Martin, la gérante ! Puisque Marie était capable d'attention envers les adultes, elle était sans doute pareille à elle-même avec Claude, même si elle ne lui faisait pas de caresses. « Elle avait pour lui un amour très sensible et la seule bonté de son naturel au regard de tout le monde faisait assez connaître quels pouvaient être ses sentiments maternels à l'endroit de son propre fils[7]. »

Pour Claude, qu'est-ce qui a été le plus dommageable ? La parole maternelle qui a trop tardé à s'exprimer sur la décision d'entrer au couvent, ou bien les comportements inhabituels et inexpliqués d'un entourage immédiat à la fois sympathique et désapprobateur ? Ces manières se sont avérées des facteurs d'angoisse pour l'enfant. Le poids du silence et cette inhabituelle et étrange atmosphère familiale, c'était trop lourd : il a fugué pour aller ailleurs, respirer.

> Depuis l'âge de deux ans, elle ne lui fit aucune caresse et ne permettait pas qu'il lui en fît, mais elle se comportait envers lui avec une douce gravité, et lui de même à son endroit, autant que son enfance le pouvait permettre, afin que n'étant pas élevé dans les tendresses et les sensibilités des enfants, il fût moins touché quand le jour de la séparation serait venu. Mais il en arriva tout autrement,

---

[7] Dom Claude Martin, *La vie de la vénérable Mère Marie de l'Incarnation*, p. 171.

> car comme elle ne lui faisait point de caresses, aussi ne lui fit-elle jamais de mauvais traitement. D'où vient que l'amour naturel étant plus fort et plus enraciné, la séparation en fut plus dure et plus difficile à faire[8].

À ces deux êtres, qui s'aimaient tendrement, l'avenir fournira l'occasion d'une correspondance intime malgré une distance océanique, dans de longues lettres annuelles. Rares sont les parents qui réussissent à tisser une si profonde intimité avec leurs enfants.

En conclusion de cette longue digression, ajoutons pourtant encore une réflexion de Claude dans la vie de sa mère. Il avait eu tant de mal à comprendre la décision de celle-ci et à l'accepter, a-t-il cru nécessaire de prévenir les objections qui pourraient ternir l'image maternelle ?

> Je ne doute point qu'un abandonnement si nouveau et si contraire en apparence aux plus étroites obligations de la loi naturelle ne soit condamné de ceux qui ne se gouvernent que par les lumières de la raison et qu'il ne soit même improuvé (désapprouvé) de quelques-uns de ceux qui ont connaissance des règles de l'Église. [...] Mais il faut avouer que les lumières surnaturelles, surtout quand elles éclairent les saints qui n'agissent que par les mouvements de la grâce, font voir les choses tout d'une autre manière que ne le font celles de la seule raison. [...] Si Jésus Christ a fait le conseil de quitter les pères, les

---

[8] Voir *Ibid.*, p. 178.

mères, les enfants[9], il faut donc que ce conseil se puisse et se doive quelquefois garder[10].

Les premières expériences au monastère

Retrouvons Marie qui a enfin franchi la porte du couvent des Ursulines. Son cœur portait à la fois la douleur de se séparer de son fils et la paix de l'accomplissement généreux de la volonté de Notre Seigneur. En 1654, elle se souvenait encore de ses premières impressions.

> Il ne se peut dire combien la religion me fut douce après un tracas tel que celui que j'avais quitté, et de me voir dans la condition de novice, qui est de ne se mêler de rien que de l'observance de la règle. [...] Je jouissais d'une paix si accomplie, que je trouvais un paradis de délices dans tous les exercices de la règle, et je ne croyais pas, après cette paix, qu'aucune tempête me pût attaquer. Posséder un si grand bien après l'avoir attendu dix ou douze ans, quel bonheur[11] !

Bientôt, de pénibles épreuves la rejoignent jusque dans son paradis. En effet,

> Notre Seigneur permit que j'eusse d'abord une bonne épreuve. Plusieurs personnes du dehors commencèrent à se mal édifier de ma retraite et à dire à mon fils qu'il

---

[9] Voir Lc, 14, 26.

[10] Dom Claude MARTIN, *La vie de la vénérable Mère Marie de l'Incarnation*, p. 171.

[11] *Témoignage*, p. 131.

devait venir sans cesse au monastère afin qu'on m'en fît sortir. Cela le jeta dans une telle affliction qu'il ne bougeait presque pas de notre grille à faire des plaintes et à me demander.
Mais le grand coup, ce fut qu'une troupe de petits écoliers, ses compagnons, s'assembla, qui commencèrent à le huer et à crier de ce qu'il avait été si fol et enfant que de me laisser entrer en religion, et que maintenant il était sans père ni mère, et qu'il serait méprisé et abandonné. « Allons la quérir, lui disaient-ils, allons faire beaucoup de bruit pour qu'on te la rende. » Cela émut si fort cet enfant qu'il pleurait lamentablement.
Ils vinrent donc un grand nombre à la porte du monastère. [...] À l'abord, je ne savais ce que c'était. Mais parmi ces voix, j'entendis mon fils qui à hauts cris disait : « Rendez-moi ma mère ; je veux avoir ma mère ! » Cela me perça le cœur de compassion et me donna beaucoup de crainte que la communauté, étant si fort importunée, ne se lassât et qu'elle ne vînt à me congédier.
J'en traitais humblement et amoureusement avec Notre Seigneur, pour l'amour duquel j'avais abandonné cet enfant, pour suivre sa sainte volonté et ses conseils. Et ainsi mon âme était en paix[12].

De l'extérieur, ces assauts atteignaient Marie en plein cœur. Au cloître, des religieuses pleuraient de compassion et les novices, ses compagnes immédiates, ne retenaient pas l'expression de leur indignation. « Ces bonnes sœurs ne voyaient pas les angoisses de mon cœur pour mon

[12] *Ibid.*, p. 132.

fils, non plus que la fidélité que je voulais rendre à la sainte volonté de Dieu[13]. »

Sous la pression de la parenté et des connaissances, Claude continuait à harceler sa mère. Autour de lui, il semble bien que personne ne consolait l'enfant. Encouragé par des opposants à la vocation de sa mère, il a tout tenté pour qu'on la lui rende !

> Il venait à l'église lorsqu'on disait la messe et se passait partie du corps par la fenêtre de la grille de communion : « Hé ! rendez-moi ma mère », disait-il. Voyant la grande porte conventuelle du monastère ouverte pour les ouvriers, il entrait par surprise dans notre cour. Il allait au parloir et pressait la tourière pour qu'on me rendît ou qu'on le fît entrer pour être religieux avec moi. On m'envoyait le voir. Je l'apaisais et le consolais. On me donnait quelques petits présents à lui faire. [...]
> Les tourières de dehors remarquaient qu'il s'en allait à reculons, les yeux fichés sur les fenêtres pour voir si j'y serais, parce qu'il m'y avait vue une fois. L'on me racontait tout cela, et je m'étonnais comme il m'avait en si grande affection, vu que, comme j'ai dit plus haut, ayant dès son enfance résolu de le quitter pour obéir à Dieu, je ne lui avais fait aucune caresse, comme l'on fait aux enfants, quoique je l'aimasse beaucoup, à dessein de le détacher de moi, lorsqu'il serait en âge de le laisser[14].

Marie avait reçu l'assurance que sa sœur et son beau-frère s'occuperaient de Claude, comme s'il avait été

---

[13] *Ibid.*, p. 133.
[14] *Ibid.*

leur propre fils. Elle n'avait pas trop cru à leur promesse verbale et son intuition s'est bientôt justifiée. Sa sœur a eu du mal à tenir son engagement envers Marie : « Une personne qui m'avait le plus promis d'assistance était celle qui m'était le plus contraire, avec menaces de ne pas faire ce qu'elle m'avait promis[15]. »

Pour en remettre, il semble que toute la ville de Tours se soit mêlée de cette affaire.

> Les autres disaient que j'étais une marâtre ou une mère de peu de cœur, qui pour me contenter, avais lâchement abandonné son fils. Les autres enfin faisaient courir le bruit que bientôt les religieuses me mettraient dehors, ne pouvant souffrir tout ce bruit si contraire à leur repos. Plusieurs de mes amis, croyant toutes ces choses véritables, me priaient de sortir de mon gré avant que de prendre le voile, plutôt que de recevoir une telle confusion après l'avoir reçu. Jamais je ne fus tant combattue. [...]
> Je m'abandonnais entre les mains de Notre Seigneur. J'entretenais sans cesse sa Bonté à ce qu'elle eût compassion de ce pauvre abandonné. [...] Je prévoyais qu'il aurait beaucoup à souffrir, car d'ordinaire les parents n'ont pas la tendresse d'une mère ni un enfant un recours aussi assuré. [...] Je portais la croix amoureusement pour l'amour de mon cher Jésus, lequel un jour, me voulut consoler en cette peine. [...] Il m'assura par paroles intérieures, avec un grand amour, qu'il aurait soin de mon fils et que je serais religieuse en cette maison.
> Ces divines promesses, qui mirent le calme et une consolation suave en tout moi-même, me fortifièrent

[15] *Ibid.*

entièrement. J'expérimentai que les paroles de Notre Seigneur sont esprit et vie[16] et qu'il était si fidèle en ses promesses que le ciel et la terre passeraient plutôt qu'une seule de ses paroles demeurât sans son effet[17]. Si tout le monde m'eût dit le contraire de ce que m'avait dit cette parole intérieure, je ne l'eusse pas cru. Par ailleurs, notre Révérende Mère m'assura que ni elle ni aucune de ses sœurs n'avaient la pensée de me faire sortir[18].

Bientôt une ouverture se présenta pour assurer l'éducation de Claude. En effet, « à quelque temps de là, mais presque aussitôt, une occasion se présenta d'envoyer mon fils à Rennes, en Bretagne, au Séminaire de la Compagnie de Jésus. Ma sœur lui fournissait ses nécessités, comme elle le fit jusques à la fin de ses études[19] ». Le père Dinet, recteur, fut mis au courant par l'Archevêque et par dom Raymond de tout ce qui avait entouré l'entrée au Monastère de la mère de ce garçon. Le Jésuite l'accepta au Séminaire. Le fils, placé en sécurité, sa mère s'en trouva déchargée d'une inquiétude. À l'extérieur, un apaisement se produisit, comme si les regards se convertissaient.

Les personnes qui avaient blâmé mon entrée en religion, changèrent de pensée et avouaient que la Bonté divine conduisait toutes mes affaires. S'ils eussent vu ce qu'elle

[16] Voir Jn 6, 63.
[17] Voir Mc 13, 31.
[18] *Témoignage*, p. 133-134.
[19] Voir *Ibid.*, p. 136.

faisait à mon âme, ils m'eussent aidée à chanter ses miséricordes[20].

J'étais comme une personne qui sortirait du combat. [...] l'Esprit du sacré Verbe Incarné la disposait à des choses grandes dont il ne lui découvrait pas encore le secret, et dont elle ne voulait pas savoir davantage que ce que ce divin Esprit lui faisait entendre. Elle ne pouvait qu'aimer. [...] L'âme a une pente et inclination d'aimer toujours davantage[21].

[20] *Témoignage*, p. 136.
[21] *Ibid.*, p. 137.

8

EXPÉRIENCE CHRÉTIENNE, EXPÉRIENCE MYSTIQUE

Au début de l'année 1625, toujours en service chez les Buisson, Marie Guyart avait vécu une expérience spirituelle : Notre Seigneur enchâssa son cœur dans le sien. Entrée au monastère des Ursulines depuis quelque temps, cette grâce se renouvela d'une manière quelque peu semblable. En effet,

> Dieu, par une signalée faveur, me donna un témoignage remarquable de son union amoureuse et de sa douce familiarité. Un soir, étant en oraison et m'adressant à lui avec une amoureuse confiance, je lui donnais mon cœur [...] Le matin suivant, sitôt que je fus à l'oraison et unie à lui, il me dit dans l'intérieur, comme ne me pouvant laisser plus longtemps souffrir : « Donne-moi ton cœur. » À ces mots, je me sentis toute liquéfiée en lui, et il me semblait qu'à cette parole si subite et si douce, il tirât tout ce qui était en moi, l'acceptant pour sien[1].

Le récit de ce genre d'expérience suscite un questionnement. La vie mystique est-elle totalement différente de la

[1] *Témoignage*, p. 138-139.

vie chrétienne des baptisés qui ne sont pas des mystiques ? Ces expériences insignes et étonnantes peuvent-elles éveiller des désirs réalistes chez d'autres baptisés ? Voyons ce qu'en a écrit une théologienne :

> La connaissance « expérientielle » de Marie de l'Incarnation est celle des mystiques chrétiens. Ce sont eux qui ont une « expérience » de Dieu et de son action dans le fond de l'âme. La vie mystique n'est en effet que la vie chrétienne parfaite, celle qui atteint son terme. Le fondement de cette affirmation se trouve dans la promesse de Jésus Christ : « Celui qui a mes commandements et les garde, voilà celui qui m'aime, et celui qui m'aime sera aimé de mon Père, et je l'aimerai et je me manifesterai à lui [...] et nous viendrons à lui, et nous ferons chez lui notre demeure[2]. » [...]
> Voir dans l'expérience mystique de Marie de l'Incarnation une grâce de luxe, c'est donc avoir des promesses de Dieu une conception limitée. La différence entre Marie de l'Incarnation et nous est qu'elle osa désirer et humblement demander[3].

Troisième ravissement trinitaire

Entrée au couvent le 25 janvier 1631, environ deux mois plus tard, soit le 17 mars, Marie est favorisée d'une autre expérience spirituelle. À l'heure de la prière, les religieuses sont à la chapelle, comme à l'ordinaire.

---

[2] Voir Jn 14, 21 et 23.

[3] Maria-Paul Del Rosario Adriazola, *La connaissance spirituelle chez Marie de l'Incarnation*, p. 366.

Personne ne se doute d'un passage privilégié de Dieu chez l'une d'entre elles. « Parmi vous, il y a quelqu'un que vous ne connaissez pas[4]. » Cette fois-ci, l'inconnue, c'est sœur Marie. En elle, ici et maintenant, le Seigneur établit sa demeure.

> J'étais à genoux à ma place devant le très saint Sacrement. [...] Avec une douceur que je ne puis dire, je me sentis toute changée dans l'intérieur. [...]
> Lors, un soudain attrait ravit mon âme. En un moment, mon entendement fut illustré de la vue des trois Personnes de la très sainte Trinité, laquelle me renouvela la connaissance de ses grandeurs, avec l'impression de ces paroles du suradorable Verbe Incarné : « Si quelqu'un m'aime, mon Père l'aimera ; nous viendrons à lui et nous ferons une demeure chez lui[5]. » Ces paroles portaient les effets de la promesse de ces divines paroles[6].
> Dans cette durée d'une demi-heure[7], il m'était signifié que je recevais alors la plus haute grâce de toutes celles que j'avais reçues au passé, dans les communications des trois divines Personnes. [...]
> La première fois [1625] que je me manifestai à toi, c'était pour instruire ton âme dans ce grand mystère ; la seconde [1627], c'était à ce que le Verbe prît ton âme pour épouse ; mais à cette fois [1631], le Père et le Fils et le Saint-Esprit se donnent et communiquent à toi pour posséder entièrement ton âme.

---

[4] Voir Jn 1, 26.
[5] Jn 14, 23.
[6] *Témoignage*, p. 141.
[7] *Ibid.*, p. 143.

Et lors, l'effet s'en ensuivit. [...] Le Père Éternel était mon Père, le Verbe suradorable, mon Époux, et le Saint-Esprit, Celui qui par son opération agissait en mon âme et lui faisait porter les divines impressions. [...] Il se donnait tout à elle, et elle se laissait toute prendre à lui. Il semblait que ce Grand Dieu, étant en elle, fût chez lui, et il semblait à l'âme qu'elle fût le paradis de son Dieu, où elle était avec lui par un amour inexplicable[8].

Compréhension des Écritures

Selon leur coutume, les Ursulines chantent l'Office divin au chœur. Cette prière des psaumes leur est occasion de supplier et de louer Dieu, sa puissance, sa largesse, sa grandeur et de lui rendre grâce. Au contact des psaumes et des extraits de l'Écriture sainte à la célébration de l'Eucharistie, Marie de l'Incarnation reçoit la grâce d'une compréhension particulière de l'Écriture et un don particulier pour la partager.

J'avais une très grande simplicité pour produire mes pensées et mes sœurs étaient tout étonnées de m'entendre ainsi parler. L'une d'elles me dit un jour : « Prêchez-nous un peu, sœur Marie[9] ! »
Il me venait en mémoire quelques paroles de l'Écriture, de l'Ancien ou du Nouveau Testament, que j'avais lues ou entendues. Le sens m'en était découvert, et de là, je sentais pulluler en mon esprit une suite de passages

[8] *Ibid.*, p. 140-142.
[9] *Ibid.*, p. 145.

de la même Écriture, dont j'avais une telle intelligence qu'il me semblait qu'on me prêchait et qu'on me disait les secrets qui y sont cachés, ce qui me donnait une douce satisfaction dans le fond de l'âme. [...] Toutes ces découvertes, lesquelles, bien qu'elles ne demeurassent pas présentes ni distinctes comme elles l'étaient durant l'oraison, ne laissaient pas de revenir tout à propos dans les occasions, selon les besoins où je me trouvais.
Quant à ces connaissances et lumières que Notre Seigneur m'a données sur l'Écriture sainte, elles ne me sont pas venues en la lisant par étude, mais, je le répète, dans l'oraison ou au chœur ; et elles ont beaucoup servi à la direction de ma vie, tant intérieure qu'extérieure[10]. Mon esprit était si rempli et fécond sur tout ce qui se chantait au chœur, que, jour et nuit, c'étaient mes entretiens avec mon céleste Époux[11].

À l'extérieur du couvent

Marie avait été particulièrement appréciée à l'entreprise des Buisson. Son aisance en affaires laissa croire qu'elle s'y plaisait, vu ses talents et son bon rendement. Certaines personnes sont convaincues qu'une femme d'une telle compétence ne peut pas rester enfermée. La disproportion entre les occupations chez les Buisson et celles du couvent lui doit être insupportable. La conviction de ces gens donne une telle espérance à Paul Buisson, qu'il mandate son épouse de laisser à sa sœur

[10] *Ibid.*, p. 144.
[11] *Ibid.*, p. 146.

toutes leurs affaires entre ses mains. Est-ce un stratagème pour tirer sa belle-sœur hors du couvent[12] ?

Au monastère, Marie de l'Incarnation est admise par la communauté à faire profession.

> Ce fut la plus heureuse nouvelle que j'eusse jamais reçue. [...] Quoique j'aie été votre épouse jusqu'à cette heure par les vœux que je vous ai faits, je le serai encore plus particulièrement les faisant de nouveau en cette façon toute sainte. [...] Les puissances de mon âme étaient plongées dans cet océan d'amour. [...] La pensée que j'étais l'épouse du Fils du Très Haut d'une nouvelle manière me remplissait d'une onction intérieure qui surpasse tout sentiment et qui me liait à Dieu par une liaison ineffable[13].

Claude et la profession de sa mère

Rappelons qu'une lettre du recteur du collège de Rennes fit la consolation de la mère. Le Jésuite lui apprit la satisfaction donnée, au cours de l'année 1632, par ce nouvel élève, Claude Martin. Mais au début de l'année 1633, la conduite de l'adolescent changea du tout au tout.

En effet, Claude n'oubliait pas qu'on ne lui avait pas permis d'assister à la cérémonie de prise d'habit de sa mère. On avait voulu lui éviter des émotions et il avait eu beaucoup de chagrin d'avoir manqué cette

---

[12] Voir *Ibid.*, p. 147.
[13] *Ibid.*, p. 163-165.

occasion rêvée de la revoir. Alors l'adolescent fit un calcul dans sa tête et vint à penser que sa profession devrait se situer en janvier 1633. À tout prix, cette fois, il lui fallait être à Tours et il ne manquerait pas sa chance ! Il décida alors d'un moyen coûteux : se faire renvoyer du collège, au risque de manquer son année scolaire. Peu lui importait ! Il voulait revenir à Tours chez sa tante, revoir sa mère et assister à sa profession. Claude Martin devint alors insupportable et se fit mettre à la porte du collège de Rennes.

Si le fils était satisfait de son astuce, ce n'était sûrement pas le cas de sa mère ! Quand la communauté apprendrait son retour, Marie de l'Incarnation croyait que les religieuses ne la laisseraient pas prononcer des vœux et la renverraient s'occuper de son fils. Heureusement, sa sœur, Claude Guyart-Buisson, veuve maintenant, se montra compréhensive. « Ma sœur se chargea de tout [...] et elle en prit soin comme s'il eût été son fils propre[14]. Claude assista à la profession de sa mère le 25 janvier 1633.

> Mon fils qui, finement, était venu de Rennes, s'y trouva. Comme l'on n'avait pas voulu qu'il assistât à ma vêture, ayant fait son calcul en son esprit, il ne voulut pas être trompé deux fois. Il n'avait pas encore quatorze ans[15].

Si la mère n'approuvait pas toujours les gestes immatures de l'adolescent, sa tendresse pour son fils semble

---

[14] *Témoignage*, p. 166.
[15] *Ibid.*, p. 166.

l'excuser quelque peu : « Finement ! Il n'avait pas encore quatorze ans ! » Elle n'avait rien perdu de sa tolérance maternelle.

Le Seigneur avait promis à Marie qu'il prendrait soin de son fils. Pour ce faire, sa providence passe de nouveau par les Jésuites qui sont à Tours depuis 1632. Le père de la Haye prend l'adolescent en charge et l'emmène à Orléans « pour le faire avancer dans ses études[16] ».

Histoire de la *Relation de 1633*

Depuis le départ de Tours de dom Raymond de Saint-Bernard, le père de la Haye reçoit des confidences de Marie de l'Incarnation. Sans doute pour un accompagnement spirituel adéquat, ce Jésuite lui demande d'écrire la conduite de Dieu sur elle depuis son enfance. En toute simplicité, l'ursuline acquiesce à cette proposition. « Toutes les miséricordes que Dieu m'avait faites furent en un moment représentées à mon esprit, avec une très grande distinction. Cette divine Bonté m'inspira d'obéir à ce qui m'avait été commandé[17]. » Ces confidences spirituelles de Marie, remises à Claude après la mort de sa mère survenue en 1672, sont conservées et publiées sous l'appellation *Relation de 1633*.

La vie de moniale ursuline suit son cours. Les journées sont partagées entre le travail et des temps de prière ou de détente. À Marie de l'Incarnation, on demande

---

[16] *Ibid.*, p. 174.
[17] *Ibid.*, p. 169.

de s'occuper de travaux de broderie, art dans lequel elle excelle et auquel elle initie des jeunes religieuses. Puis, étonnamment, après seulement deux ans de profession, en 1635, sœur Marie de l'Incarnation est nommée assistante de la responsable de la formation des novices. Elle donne alors des conférences spirituelles à ces vingt à trente jeunes, dont l'aînée n'a pas seize ans.

> C'était mon office de leur enseigner la doctrine chrétienne pour les rendre capables de l'Institut. Je le faisais avec un grand zèle que Dieu me donnait avec la facilité de m'énoncer sur les mystères de notre sainte foi. J'avais beaucoup de lumières là-dessus. Je portais en mon âme une grâce de sagesse qui me faisait quelquefois dire ce que je n'eusse pas voulu ni osé dire sans cette abondance d'esprit[18].

---

[18] *Autobiographie*, p. 88.

9

D'UN SONGE À UN HORIZON NOUVEAU

Au temps de la célébration de la liturgie de Noël de 1634, la trame d'un songe semble très mystérieuse à Marie de l'Incarnation. En 1654, elle le raconte à son fils comme si elle venait de le vivre. Vu la portée et le pittoresque de ce récit, nous le citons en son entier.

> Il me fut représenté en songe, dans un léger sommeil, que j'étais avec une jeune dame séculière que j'avais rencontrée par je ne sais quelle voie. Elle et moi, nous avons quitté le lieu de notre demeure ordinaire. Je la pris par la main, et, à grands pas, je la menai après moi, avec bien de la fatigue, parce que nous trouvions des obstacles très difficiles qui s'opposaient à notre passage, et nous empêchaient d'aller au lieu où nous aspirions. Mais nous cheminions sans les voir, nous les sentions seulement. Notre chemin était vers le lieu où l'on s'embarquait. Nous étions toujours de compagnie durant notre voyage, jusqu'au lieu où nous devions nous rendre.
>
> Enfin, nous avons abordé à un grand pays. Étant descendues à terre, nous sommes arrivées en un lieu qui

s'appelle « La Tannerie », où l'on fait pourrir les peaux durant deux ans pour s'en servir aux usages où elles sont destinées ; puis nous sommes montées sur une côte par un passage, comme de la largeur d'un grand portail. Au bout de notre chemin, nous avons trouvé une belle place, à l'entrée de laquelle il y avait un homme solitaire, vêtu de blanc, et la forme de cet habit, comme on peint les Apôtres. Il était le gardien de ce lieu. Nous regardant bénignement ma compagne et moi, il me fit signe de la main, me donnant à entendre que c'était là notre chemin pour aller à notre demeure, et son signe me servait d'adresse pour aller à une petite église, située sur la côte, à main gauche, qui regardait vers l'orient. Quoiqu'il n'ait pas parlé, car il n'était pas moins silencieux que solitaire, je comprenais intérieurement que c'était là où il fallait aller. J'entrai donc en cette place avec ma compagne. Ce lieu était ravissant ; il n'avait point d'autre couverture que le ciel. C'était une grande place spacieuse, carrée, en forme d'un monastère ; le pavé était comme de marbre blanc ou d'albâtre, tout par carreaux avec des liaisons d'un beau rouge. Le silence y était, qui faisait partie de sa beauté. Les bâtiments étaient beaux et réguliers.

Cependant, sans m'arrêter à en considérer la structure, mon cœur était attiré vers cette petite église qui m'avait été montrée par le gardien de ce pays. M'étant avancée, je la vis de loin, à un coin de la place. Elle était de marbre blanc ouvragé, d'une belle architecture à l'antique. Sur cette petite église, la sainte Vierge était assise, le faîte étant disposé en sorte que son siège y était placé, et elle tenait son petit Jésus entre ses bras sur son giron.

Ce lieu était très éminent, d'où, en un moment, je pus voir un grand et vaste pays, plein de montagnes, de vallées, et de brouillards épais qui remplissaient tout, excepté une petite maisonnette, qui était l'église de ce pays-là, que j'entrevis quasi tout enfoncée dans ces ténèbres inaccessibles et affreuses, en sorte qu'on n'en voyait que le faîte. Il y avait un chemin pour descendre dans ce grand pays, lequel était fort hasardeux entre des rochers et des précipices, et si droit et si étroit qu'il faisait peur à voir. La sainte Vierge, Mère de Dieu, regardait ce pays autant pitoyable qu'effroyable. À l'abord, je la crus de marbre et aussi inflexible que la pierre de la loge où elle était assise. Je brûlais du désir de la voir de face, car du lieu où j'étais encore je ne l'apercevais que par derrière, et il me semblait que je ne serais jamais arrivée assez tôt pour contenter ma dévotion. Aussi, dès que je l'eus aperçue, quittant la main de cette bonne dame, qui me suivait toujours comme je la tirais après moi, par un tressaillement d'affection, je courus vers cette divine Mère et étendis mes bras, en sorte qu'ils pouvaient atteindre aux deux bouts de la petite loge. J'attendais par désir quelque chose d'elle. Lors, je fus bien surprise, car, levant les yeux, je vis qu'elle devenait flexible et qu'elle n'était plus de marbre, mais de chair. Elle regardait son béni Enfant, auquel, sans parler, elle faisait entendre quelque chose d'important à mon cœur. Il me semblait qu'elle lui parlait de ce pays et de moi, et qu'elle avait quelque dessein à mon sujet, et moi, je soupirais après elle, ayant les bras toujours étendus. Lors, avec une grâce ravissante, elle se tourna vers moi, et, souriant amoureusement, elle me baisa sans me dire mot, puis elle se retourna vers son fils et lui parlait encore intérieurement, et j'entendais en mon esprit, qu'elle avait du dessein sur moi, duquel elle l'entretenait. Lors, pour la deuxième fois, elle se tourna vers moi et me baisa derechef, puis elle communiquait de nouveau à son très adorable Fils et ensuite me baisa pour la troisième fois, remplissant mon âme par ses caresses d'une onction et d'une douceur qui est indicible. Puis, elle recommença de parler de moi comme auparavant.

Je ne pourrais décrire la ravissante beauté et douceur du visage de cette divine Mère. L'impression en est encore toute récente dans mon esprit. Elle était comme à l'âge de quinze à seize ans qu'elle allaitait notre très adorable petit Jésus. Ma compagne, qui s'était arrêtée et était descendue deux ou trois pas en ce grand pays, n'eut point de part aux caresses de la très sainte Vierge, mais, du chemin où elle était, elle eut seulement la consolation de la voir de côté.

Je me réveillai là-dessus, portant en mon cœur, avec une grande idée pour la conversion du pays que j'avais vu, une paix et une douceur extraordinaire qui me dura quelques jours, m'unissant d'amour à Notre Seigneur et à la très sainte Vierge. [...] Je demeurai fort pensive sur ce que voulait signifier une chose si extraordinaire. Je ne savais point alors pourquoi j'avais expérimenté tout cela qui m'avait laissé une si forte impression et de tels effets dans l'âme, le tout s'étant passé dans le silence et étant un grand secret pour moi[1].

Cette expérience de Marie ouvre un nouvel horizon dans sa vie spirituelle. Mais il soulève des questions : Où ce pénible chemin conduit-il ? Quel est ce pays

---

[1] *Témoignage*, p. 183-186.

plein de brouillards ? Qui est cette jeune dame ? Dans tout cet univers mystérieux, une présence rassurante : la Vierge Marie et l'Enfant Jésus au-dessus de la petite église illuminée. Ce divin Enfant, envoyé par le Père, est venu offrir un avenir nouveau à l'humanité, par le don de sa vie. Que signifie donc cette expérience qui laisse en Marie de l'Incarnation un sillage durable de douceur, de beauté, d'affection ?

Depuis son enfance, Marie Guyart désire voir la Vierge avant de mourir[2]. Si un cœur d'enfant est capable d'une telle aspiration, un cœur maternel peut très bien le satisfaire dans un songe ! Marie de l'Incarnation tend les bras, la Vierge ouvre les siens et l'embrasse une fois, deux fois, trois fois !

On s'attendrait à ce que la Vierge nomme ce pays et donne la signification de ce rêve. Il n'en est rien. Mère de tous les humains, elle remet tout à son fils et elle collabore avec lui. Aussi, quand la Vierge parle à l'Enfant-Dieu, il semble à l'ursuline que la Mère du Fils de Dieu l'entretient d'un dessein qui la concerne. Un effet imprévisible s'ensuit : son cœur se déploie bien au-delà des murs du monastère.

Sœur Marie, éducatrice des novices

Assistante de la responsable de la formation des novices, elle continue d'assumer sa tâche.

---

[2] *Ibid.*, p. 6.

> J'étais moi-même étonnée, lorsque pour revenir à la moralité, après avoir parlé des points de la foi, de ce que quantité de passages de l'Écriture me venaient à propos. Je ne pouvais me taire, et il fallait que j'obéisse à l'Esprit qui me possédait. Je faisais cela deux fois la semaine, à vingt ou trente sœurs, pendant près de trois ans de suite que je fus continuée en cet emploi[3].

Marie de l'Incarnation, à la lumière de l'Écriture sainte, dépasse le strict registre de la légalité pour donner sa raison d'être et leur sens aux obligations de la vie chrétienne et de la vie religieuse. Une inclination pour le salut des âmes avait porté tout son poids dans son choix des Ursulines « instituées pour le salut des âmes ». Cette pente, enrichie de son expérience spirituelle personnelle, fait que son exemple de vie et ses enseignements développent chez ses auditrices une ouverture aux intérêts de Jésus Christ, Sauveur. Sœur Marie en était devenue d'autant plus éloquente que « cette pente s'accroissait à mesure » qu'elle avançait en âge et surtout depuis son deuxième songe.

> Après les caresses de la très sainte Vierge et l'onction que ses baisers laissèrent en mon âme, mon esprit fut tout hors de moi, et il volait par tout le monde pour chercher les âmes rachetées du Sang du Fils de Dieu. Je portais dans mon âme un feu pour cela. [...] Comme je ne pouvais pas courir par le monde, [...] je faisais ce que je pouvais au noviciat, m'accommodant à la capacité de chacune. Il y avait de bons esprits et qui étaient affamés de savoir

---

[3] *Ibid.*, p. 186-187.

les choses qui leur pouvaient servir pour la fin qu'elles s'étaient données à Dieu. Elles me pressaient de plus en plus de poursuivre.
Dieu aussi voulait cela de moi, et j'expérimentais au dedans de moi que c'était le Saint-Esprit qui m'avait donné la clé des trésors du sacré Verbe Incarné et me les avait ouverts dans l'intelligence de l'Écriture sainte, surtout dans les passages qui avaient rapport à lui, sans qu'auparavant je les eusse médités ou étudiés. [...] J'avais outre cela quelque chose en moi, dès que je fus aux Ursulines, qui me disait que la divine Bonté me mettait en cette sainte maison comme en un lieu de refuge, jusqu'à ce qu'elle disposât de moi pour ses desseins[4].

La portée de la formation donnée aux jeunes religieuses se manifestera éloquemment quand arrivera le moment de choisir une compagne à sœur Marie de l'Incarnation désignée pour la mission du Canada : « C'était à qui irait se jeter la première à ses pieds pour s'offrir à elle pour être compagne des travaux qu'elle embrassait[5]. »

Une « pentecôte » pour l'ursuline

Généreuse et courageuse, conduite par l'Esprit saint, elle portait en son cœur les « intérêts de son Époux » et elle éduquait les novices dans le même sens. C'est bien ainsi que nous est apparue cette femme tout au long

[4] *Ibid.*, p. 187.
[5] *Ibid.*, p. 207.

de ces années où nous l'avons regardée vivre. Marie n'aurait-elle pas vécu une « pentecôte » ?

En premier lieu, considérons l'expérience vécue par les Apôtres et racontée par l'évangéliste Jean. Les Apôtres, eux aussi, avaient été généreux et courageux à la suite de Jésus. Un jour, leur Maître leur avait dit : « Je prierai le Père et il vous donnera un autre Paraclet[6]. » Jésus avait demandé aux Apôtres d'attendre la réalisation de la promesse de l'Esprit et avant de les quitter par son ascension, il leur donne une mission et son Esprit : « Comme le Père m'a envoyé, moi aussi je vous envoie. Ayant dit cela, il souffla sur eux : "Recevez l'Esprit saint"[7]. »

Pour ce temps d'attente, les Apôtres se réunissent dans la prière, avec la Vierge Marie. Arrive la Pentecôte : un coup de vent et le don de l'Esprit comme un feu. Ils sont alors transformés en hommes nouveaux. En effet, de peureux, renfermés dans une maison verrouillée par crainte de ceux qui ont crucifié leur Maître, ils deviennent audacieux. Les Actes des Apôtres rapportent qu'ils parlent désormais avec assurance, qu'ils font face aux adversaires de Jésus en proclamant sa résurrection.

Qu'en est-il de Marie de l'Incarnation ? Elle n'a pas parlé de pentecôte. Mais il semble bien que l'Esprit Saint a été répandu sur elle de telle façon qu'elle en fut profondément transformée. Pour raconter son expérience marquante du don de l'Esprit, l'ursuline

---

[6] Jn 14, 16.
[7] Jn 20, 21-22.

emploie l'expression « émanation de l'Esprit », une diffusion. Elle avait alors trente-quatre ou trente-cinq ans.

> C'était une émanation de l'esprit apostolique, qui n'était autre que l'Esprit de Jésus Christ, lequel s'empara de mon esprit pour qu'il n'eût plus de vie que dans le sien et par le sien, étant toute dans les intérêts de ce divin et suradorable Maître et dans le zèle de sa gloire, à ce qu'il fût connu, aimé et adoré de toutes les nations.
> Mon corps était dans notre monastère, mais mon esprit, qui était lié à l'Esprit de Jésus, ne pouvait être enfermé. Cet Esprit me portait en pensée dans les Indes, au Japon, dans l'Amérique, dans l'Orient, dans l'Occident et dans toute la terre habitable[8].

Depuis longtemps, Marie s'intéressait aux missions lointaines et, dans sa prière, elle y accompagnait les ouvriers de l'Évangile qui travaillaient pour le salut de l'humanité. Après cette expérience-ci de l'émanation de l'Esprit, le contenu et le ton de sa prière changent. Désormais, telle une avocate, elle plaide en faveur de son Époux. Il a racheté le monde en versant son Sang, il a droit à toutes les nations qui lui ont été promises et qui lui appartiennent. Dans son plaidoyer auprès du Père Éternel, à son objectif s'ajoute désormais un autre point de mire : le droit de Jésus à être connu, aimé et adoré de toute l'humanité.

---

[8] *Témoignage*, p. 189.

> Jésus Christ, notre divin Maître et souverain Seigneur les a rachetés de son Sang précieux ; [...] je les tenais dans mon cœur, je les présentais au Père Éternel, lui disant qu'il était temps qu'il fît justice en faveur de mon Époux ; qu'il savait bien qu'il lui avait promis toutes les nations pour héritage, et de plus, qu'il avait satisfait par son Sang pour tous les péchés des hommes. [...] Quoiqu'il fût mort pour tous, tous ne vivaient pas. [...] Je les demandais toutes pour Jésus Christ auquel, de droit, elles appartenaient. [...] L'Esprit de grâce qui m'agissait m'emportait en une si grande hardiesse auprès du Père Éternel qu'il ne m'était pas possible de faire autrement. [...] Je postule pour les intérêts de mon Époux. Vous garderez votre parole, ô Père, car lui avez promis toutes les nations[9].

Marie de l'Incarnation a déjà rencontré ces passages de l'Écriture qui appuient sa requête : « Demande-moi, et je te donne les nations en héritage, en propriété les extrémités de la terre[10]. » « Toutes les nations que tu as créées viendront se prosterner devant toi[11]. » « Toutes les nations seront rassemblées devant lui[12]. »

L'intensité de son intervention montre Marie de l'Incarnation ressentant comme un drame la situation de l'humanité. Sa prière surgit de sa méditation quotidienne de l'Écriture sainte. Éclairée et portée par sa présence, l'Esprit saint lui donne les paroles qui peuvent toucher le Père de Notre Seigneur Jésus Christ. Audacieuse dans

[9] *Ibid.*, p. 189-190.
[10] Ps 2, 8.
[11] Ps 86, 9.
[12] Mt 25, 32.

sa prière, elle le devient dans son désir de s'engager car, disait-elle,

> Je voyais la justice de mon côté ; l'Esprit qui me possédait me le donnait à connaître et il me faisait dire au Père Éternel : « Cela est juste que mon divin Époux soit le Maître. Je suis assez savante pour l'enseigner à toutes les nations ; donnez-moi une voix assez puissante pour être entendue des extrémités de la terre, pour dire que mon divin Époux est digne de régner et d'être aimé de tous les cœurs. Je ne quittais point du tout le Père Éternel pour postuler en faveur de mon Époux, comme si j'eusse été son avocat, à ce que son héritage lui fût rendu[13]. »

Marie demande au Père de mettre en elle ce qui lui plairait davantage, cela permettrait au Seigneur de l'exaucer. Une réponse surgit en son cœur : « "Demande-moi par le Cœur de Jésus, mon très aimable Fils : c'est par Lui que je t'exaucerai et t'accorderai tes demandes." Cela m'arriva vers les huit à neuf heures du soir, environ l'an 1635. [...] Depuis cette heure-là, c'est par une prière au Père Éternel par le Cœur de son divin Fils que j'achève mes dévotions du jour[14]. »

> C'est par le Cœur de mon Jésus, ma voie, ma vérité et ma vie, que je m'approche de vous, ô Père Éternel. Par ce divin Cœur, je vous adore pour ceux qui ne vous adorent pas, je vous aime pour ceux qui ne vous aiment pas, je vous reconnais pour tous les aveugles volontaires qui, par

---

[13] *Témoignage*, p. 190-191.
[14] *Ibid.*, p. 193.

mépris, ne vous reconnaissent pas. Je veux, par ce divin Cœur, satisfaire au devoir de tous les mortels. Je fais en esprit le tour du monde pour chercher toutes les âmes rachetées du sang très précieux de mon divin Époux, afin de vous satisfaire pour toutes par ce divin Cœur ; je les embrasse pour vous les présenter par lui et par lui je vous demande leur conversion. Eh quoi ! Père Éternel, voulez-vous bien souffrir qu'elles ne reconnaissent pas mon Jésus, et qu'elles ne vivent pas pour lui, qui est mort pour tous ? Vous voyez, ô divin Père, qu'elles ne vivent pas encore ; ah ! faites qu'elles vivent par ce divin Cœur. Sur cet adorable Cœur, je vous présente tous les ouvriers de l'Évangile, afin que, par ses mérites, vous les remplissiez de votre Esprit saint. Sur ce Cœur Sacré, comme sur un autel divin, je vous présente en particulier, telle intention [...].

Vous savez, ô Verbe incarné, Jésus mon Bien-Aimé, tout ce que je veux dire à votre Père, par votre divin Cœur et par votre sainte Âme. Je vous le dis en le lui disant, parce que vous êtes en votre Père et que votre Père est en vous ; faites donc tout cela avec lui. Je vous présente toutes ces âmes, faites qu'elles soient une même chose avec vous. Amen[15].

La Pentecôte a donné aux Apôtres de Jésus l'audace qui a vaincu leur peur et leur a donné d'endosser courageusement la mission reçue : « Vous allez recevoir une force, celle de l'Esprit saint qui descendra sur vous. Vous serez alors mes témoins [...] jusqu'aux extrémités

[15] Voir *Témoignage*, p. 309.

de la terre[16]. » À la lumière de l'expérience des Apôtres, ce qui arrive à Marie de l'Incarnation ressemble à une « pentecôte ». Comme eux, elle a reçu une mission et l'audace de la prendre en charge. Elle vivra dans un total abandon à la volonté divine le temps de la réalisation d'un envoi au-delà de l'océan chez les nations amérindiennes.

---

[16] Ac 1, 8.

10

UN AVENIR NOUVEAU SOUS DES CIEUX NOUVEAUX

Au monastère, la vie quotidienne continue son cours. Sœur Marie de l'Incarnation a désormais la responsabilité de seconder une autre religieuse auprès des pensionnaires. Selon l'esprit de l'éducation des Ursulines, elles avaient à s'en occuper comme le ferait une mère de famille pour ses propres enfants. Cet emploi lui convenait, vu sa prédisposition pour l'éducation.

Qu'elle soit au travail ou en prière, le Seigneur prépare Marie de l'Incarnation à lui consacrer sa vie pour que son Règne s'étende à toutes les nations.

> Un jour que j'étais en oraison devant le très saint Sacrement, appuyée en la chaise que j'avais dans le chœur, mon esprit fut en un moment ravi en Dieu, et ce grand pays qui m'avait été montré en songe me fut de nouveau représenté avec toutes les mêmes circonstances.

> « C'est le Canada que je t'ai fait voir ; il faut que tu y ailles faire une maison à Jésus et à Marie. » Ces paroles portaient vie et esprit en mon âme [...] la divine Majesté lui donna force pour répondre en disant : Ô mon Grand Dieu ! Vous pouvez tout, et moi je ne puis rien ; s'il vous plaît de m'aider, me voilà prête. Je vous promets de vous obéir. Faites en moi et par moi votre très adorable volonté. [...] La réponse suivit le commandement, ma volonté ayant été à ce moment unie à celle de Dieu[1].

Le Canada ! « Je n'avais jamais su qu'il y eût un Canada au monde[2]. » Tout lui semblait étrange : une ursuline cloîtrée qui partirait vers un pays dont elle ignorait jusqu'à l'existence ! Au XVIIe siècle, ce n'est pas une idée banale qu'une femme parte dans les missions étrangères.

> Je n'osais parler à qui que ce fût du commandement que la divine Majesté m'avait fait, à cause que c'était une entreprise si extraordinaire et sans exemple, et, en apparence, éloignée de ma condition.
>
> Je poursuivais le Père Éternel, lui représentant ce que lui-même connaissait de mon insuffisance pour venir à l'exécution de ce qu'il lui avait plu me commander, qu'il pouvait tout et moi rien, et qu'il fit en cela selon son bon plaisir. Ainsi, j'attendais ses ordres. [...] Une paix savoureuse et féconde me soutenait[3].
>
> Dans le Monastère, je faisais mes efforts à ce que chacune travaillât auprès de Dieu pour la conversion des Sauvages.

---

[1] *Témoignage*, p. 194.
[2] *Ibid.*, p. 191.
[3] *Ibid.*, p. 195.

[...] Quelque temps se passa de la sorte, puis la divine Majesté me fit connaître qu'elle voulait l'exécution du dessein qu'elle m'avait inspiré[4].

Des guides pour la route

En 1625, des Jésuites français viennent à Québec se joindre aux Récollets. Selon la tradition de leur Compagnie, les Jésuites envoient en France des nouvelles de leur travail et informent leurs responsables des besoins rencontrés. Au Canada, le père Le Jeune assure ces contacts par *La Relation*, une revue encore publiée de nos jours. De Paris, le père Poncet envoie à Marie de l'Incarnation la seconde publication écrite en 1634 et publiée en 1635. Le père Poncet écrit : « Je vous envoie ce bourdon et cette image[5] pour vous convier d'aller servir Dieu dans la Nouvelle-France. » « Je fus étonnée de cette invitation, vu qu'il ignorait ce qui se passait en moi, que je tenais fort secret[6]. »

Dans cette *Relation*, les missionnaires en Nouvelle-France ne demandent pas encore des religieuses, ils expriment seulement un souhait : « la venue de quelque brave maîtresse, aidée de plusieurs compagnes séculières pour diriger un séminaire de filles[7] ». Touchée par

[4] *Ibid.*, p. 200.

[5] Image d'une carmélite espagnole venue à Tours en 1608 ; l'une des plus célèbres compagnes de sainte Thérèse d'Avila.

[6] *Témoignage*, p. 195.

[7] *Ibid.*

cette information, Marie de l'Incarnation, après avoir demandé conseil à son accompagnateur spirituel, décide de communiquer cette invitation à dom Raymond de Saint-Bernard, longtemps son directeur, qui habite alors Paris. « Je lui écrivis pour lui dire que j'avais des pensées pour aller en Canada. [...] Il m'assura de m'aider en tout ce qu'il pouvait pour mon passage en ce pays-là, s'il était connu que ma vocation fût de Dieu. Et en effet, il le connut bientôt[8]. »

Marie, toujours entraînée de l'intérieur vers le Canada, continue de prier avec ferveur afin que le règne de Jésus s'étende jusque dans le Nouveau Monde. Elle prie le Père « de la mettre en état de pouvoir exécuter le commandement de bâtir une maison à Jésus et à Marie ». Et dans sa simplicité, elle lui suggère « qu'Il n'en séparât point le grand saint Joseph ». [...] Car dans le songe, « j'avais eu de fortes impressions que ç'avait été celui que j'avais vu être le gardien de ce grand pays et j'avais en l'esprit que Jésus, Marie et Joseph ne devaient point être séparés[9] ».

Une jeune veuve fortunée entre en scène

Dans l'intervalle, Madame de la Peltrie, originaire d'Alençon, travaille fortement pour trouver une personne qui l'aiderait dans l'exécution du vœu qu'elle a fait de fonder un séminaire pour les filles sauvages du

[8] *Ibid.*, p. 201.
[9] *Ibid.*, p. 197.

Canada, si elle guérissait d'une maladie grave. Quelqu'un l'adresse à Monsieur de Bernières, trésorier de France. Celui-ci accompagne la jeune veuve jusqu'à Paris afin de trouver quelque moyen d'exécuter son projet. En vue d'un discernement adéquat, de sages conseillers sont consultés sur l'authenticité de la démarche de cette dame, surtout qu'elle offre de prendre la responsabilité de bailleur de fonds.

> Ils l'approuvèrent tous, disant à Madame que la divine Majesté demandait ce sacrifice d'elle et de ses biens, et que, quand elle devait périr, elle devait entreprendre ce voyage pour sa gloire. Les Pères Dinet et de la Haye étaient aussi de ceux-là. Ce dernier chargea le P. Poncet de m'écrire tout ce qui se passait, car Madame et moi-même nous ne nous connaissions point encore ni de réputation ni autrement. [...] Cela se passait en novembre 1638[10].

Marie de l'Incarnation, pourtant très concernée, ignore ce qui s'examine actuellement à Paris. Le songe date du temps de Noël 1634 et depuis, tout lui semble rester en suspens. Malgré cette lenteur d'exécution, elle ne brûle pas ses énergies à perte en s'inquiétant ou en essayant d'organiser cette aventure par son industrie personnelle. Elle s'abandonne à Dieu dont la puissance est toujours à l'œuvre.

En effet, à Paris, en novembre 1638, Monsieur de Bernières rencontre le père Poncet. Ce jésuite s'apprête à partir pour la Nouvelle-France avec la flotte du

[10] *Ibid.*, p. 203-204.

printemps. Ils se dévoilent mutuellement des secrets : le désir de Marie de l'Incarnation de partir au Canada et le vœu de Madame de la Peltrie de fonder un séminaire et d'amener des Ursulines en Nouvelle-France. Ce jésuite fit alors avancer les pourparlers. Ainsi, « il se souvint de ma vocation et leur dit qu'il croyait que c'était moi que Dieu voulait pour ce dessein et il lui en dit confidemment quelques raisons. [...] Ce bon Monsieur fut grandement consolé, et il ne manqua pas d'aller tout raconter à Madame de la Peltrie[11]. »

D'autre part, la Compagnie des Cent-Associés pesait lourd dans les décisions :

> Ses lettres patentes de fondation la chargeaient du soin de coloniser et de christianiser le Canada. Aucun établissement ne pouvait s'y faire qu'avec son autorisation et son concours[12]. De ce côté, il y eut des contradictions. [...] Enfin, il fut décidé qu'il fallait accorder à Madame de la Peltrie ce qu'elle demandait, et l'on jugea que pour les religieuses qu'elle voulait emmener avec elle, il était expédient que, pour faciliter l'affaire, elle prît elle-même la peine de m'aller quérir à Tours[13].

Au monastère de Tours, la supérieure est celle-là même qui favorisa l'entrée de Marie Guyart au monastère. Mère Françoise de Saint-Bernard est la seule personne de la communauté à recevoir, depuis quelque temps, la confidence de Marie de l'Incarnation au sujet

[11] *Ibid.*, p. 203.
[12] *Ibid.*, p. 341.
[13] *Témoignage*, p. 204.

du Canada. Pour le moment, tout demeure secret à la communauté et sœur Marie de l'Incarnation continue de prodiguer ses attentions aux pensionnaires, service qu'elle assume depuis les deux dernières années.

D'étonnement en étonnement

D'un tempérament plutôt expéditif, aussitôt son plan accepté, Madame de la Peltrie cherche tous les moyens possibles pour exécuter ses bons désirs. Il lui faut mettre ses affaires personnelles en tel état qu'elle puisse conclure un contrat avec la Compagnie des Cent-Associés. L'autre point incontournable : qui acceptera de quitter la France pour un pays d'une réputation plutôt douteuse ? Où trouver cette perle rare ?

À Paris, les jésuites consultés confient au père Poncet la tâche d'écrire à Marie de l'Incarnation pour l'informer de leurs délibérations[14]. Par ailleurs, Madame de la Peltrie est encore une femme ni vue ni connue de l'ursuline !

La lettre du père Poncet parvient au monastère le 22 janvier 1639. Pour la mère Françoise de Saint-Bernard, la surprise qu'elle avait eue d'un appel aussi extraordinaire n'est pas moindre quand elle apprend sa réalisation imminente. Quand la supérieure vient en informer la communauté, les religieuses prient à l'ermitage de Saint-Joseph pour honorer la fête des

[14] Voir *Ibid.*, p. 203.

Épousailles de Marie et de Joseph. À dessein, sœur Marie de l'Incarnation reste en service auprès des pensionnaires.

> Les religieuses furent si surprises de cette nouvelle qu'elles ne pouvaient comprendre qu'elle fût véritable, [...] qu'elle pût arriver, tant on l'estimait extraordinaire, ni qu'il y eût pu avoir une sœur si heureuse que d'être choisie de Dieu pour une telle entreprise et de si grande conséquence, et l'on ne pouvait se lasser de bénir Dieu[15].

Dans le même temps, de Paris, le père Grand-Amy est délégué pour informer l'Archevêque de Tours que des visiteurs s'annoncent portant le projet d'une fondation en Nouvelle-France et ils demandent Marie de l'Incarnation et une compagne pour la tenue d'un séminaire de jeunes filles à Québec. Le Prélat, bénissant Dieu d'une telle grâce, s'y montre favorable. Il autorise l'ouverture du cloître à Madame de la Peltrie et à sa suite. Mais le jésuite n'a pas eu le temps d'en informer les religieuses qu'il aperçoit déjà les visiteurs dans le porche du monastère des Ursulines !

Voilà bien une visite imprévisible en ce 19 février 1639 ! La communauté est convoquée. La supérieure, dûment autorisée par l'Archevêque, ouvre le cloître aux dignitaires. Sœur Marie de l'Incarnation est en service auprès des élèves. Comme elle est la première intéressée par ce qui se passe, on charge une religieuse de la prévenir. À son tour d'être très particulièrement étonnée devant cette visiteuse !

---

[15] *Témoignage*, p. 205.

> Dès que je l'eus envisagée, je me souvins de cette dame que j'avais vue être ma compagne pour le grand pays qui m'avait été montré en songe, il y avait près de six ans. La candeur et la douceur de son visage me fît connaître que c'était elle, quoiqu'elle n'eût pas les mêmes habits qu'elle avait alors. Aussitôt, mon cœur et mon esprit se sentirent unis au sien pour le dessein qu'elle allait entreprendre à la gloire de Dieu.
>
> Elle fut trois jours en notre maison pour considérer ce qui était nécessaire pour le choix de celle qui devait passer avec moi, au sujet de quoi on fît les prières des Quarante-Heures devant le Saint-Sacrement exposé. Par un mouvement intérieur et d'un conseil qu'une personne de vertu me donna, je demandai la Mère de Saint-Bernard[16].

Cette religieuse n'a que vingt-deux ans et demi : la supérieure s'y oppose et ses parents s'y refusent fermement. Madame de la Peltrie, Monsieur de Bernières et Marie de l'Incarnation persistent à la demander. Sœur de Saint-Bernard, en prière à l'ermitage Saint-Joseph, promet à ce grand saint de prendre son nom s'il lui obtient de partir pour le Canada. « Notre Seigneur, qui en avait fait le choix, en fut le maître. C'est elle qui fut choisie et ses parents consentirent à son départ. À partir de ce jour, elle porta le nom Marie de Saint-Joseph[17]. »

Les jours suivants, Marie de l'Incarnation fait face à un obstacle de taille. En effet, à son entrée chez les Ursulines, sa sœur s'était engagée à prendre Claude en charge pour son éducation et son instruction. Quand

[16] Voir *Ibid.*, p. 207-208.
[17] *Ibid.*

cette dernière apprend la nouvelle d'un projet de départ pour la Nouvelle-France, elle veut reprendre sa parole.

> Ma sœur sachant que j'allais entreprendre ce voyage vint avec un notaire pour le faire arrêter. Tous ses efforts, qu'elle croyait faire pour le zèle de la justice, n'eurent point d'effet en cette occasion, non plus qu'auprès de Monseigneur de Tours. Elle fit l'imaginable, mais notre bon Dieu dissipa le tout[18].

Les deux ursulines ont trois jours pour préparer l'essentiel : penser à tout et faire vite. Secondées par leurs compagnes, elles remplissent les coffres d'effets personnels et des objets qui seront utiles à l'organisation d'une maison dans une colonie encore démunie presque de l'essentiel. Il y a aussi à compter avec un climat dont ces religieuses françaises ne s'imaginent pas la rigueur, un pays tellement loin ! Elles anticipent les adieux à leur monastère et à leur famille.

Le départ de Tours

Le 22 février 1639 : l'heure est venue ! Les deux ursulines se rendent à l'archevêché pour recevoir officiellement leur obédience et la bénédiction de l'Archevêque. De retour au monastère, leurs consœurs témoignent affection et admiration, leur tendresse se portant particulièrement à leur jeune compagne. Montent alors dans le carrosse, Monsieur de Bernières, son homme de chambre et son

[18] *Témoignage*, p. 208.

valet en uniforme, Madame de la Peltrie et sa demoiselle de compagnie et les deux ursulines. Monsieur de Bernières prend la conduite de ce voyage de quelques jours vers Paris. Bon organisateur, il est aussi homme de piété et de bon cœur. Il fait en sorte que les prières soient assurées comme au monastère. « Il faisait oraison et gardait le silence et à tous les gîtes, c'était lui qui allait pourvoir à tous nos besoins avec une charité singulière, et ses deux serviteurs nous servaient comme s'ils eussent été à nous parce qu'ils participaient à l'esprit d'humilité et de charité de leur maître[19]. »

De son côté, Madame de la Peltrie désire aller au plus vite et voyager sans être connue. Tant que la fondation n'est pas conclue en bonne et due forme, elle a toujours à craindre de sa famille, laquelle considère que ses biens sont jetés dans une folle entreprise.

Par ailleurs, Marie de l'Incarnation a tout donné à Dieu, même la joie de revoir son fils pour une dernière fois. Elle ne l'a pas informé de son départ pour le Canada. Très exigeante pour elle-même, elle place aussi son fils dans un même sacrifice. Mais elle n'en est pas à une épreuve près.

> Sa sœur, veuve de Paul Buisson, avait confié au cocher une lettre pour Claude Martin qui achevait ses études au collège d'Orléans, avec mission de la lui remettre en mains propres. C'était une lettre étudiée et des plus pressantes où l'on avait omis aucune raison de délaissement, de mépris, de nécessité, de misère qui le pût exciter à

[19] *Ibid.*, p. 210.

faire du bruit et à rechercher tous les moyens possibles d'arrêter sa Mère.

Claude allait sur ses vingt ans. Dès qu'il sut sa Mère en ville, il courut à l'auberge où elle était descendue et il feignit la surprise de la voir hors de clôture. Il la supplia de lui dire où elle allait. [...] Voyant qu'elle avait de la peine à s'ouvrir, il lui tendit la lettre. [...]

Ce fut un nouveau choc qu'elle porta sans faiblir. Puis elle parla à son fils longuement, calmement, lui exposant toutes choses et les motifs surnaturels qui la faisaient agir ainsi. [...] Peu à peu la révolte de Claude s'apaisa. [...] Il décida du même coup de ne plus rien demander à sa famille[20].

Le fait est qu'à l'entrée de Marie en communauté, « cette sœur avait créé de son propre mouvement une petite pension à son fils sur tous ses biens, en reconnaissance des bons services qu'elle avait rendus à sa maison[21] ». En décidant de ne rien demander à sa tante, Claude renonçait à ce revenu.

Une trentaine d'années plus tard, elle écrit à son fils :

Vous souvenez-vous bien de ce que je vous ai dit autrefois, que si je vous abandonnais, Il aurait soin de vous, et qu'il serait votre Père. C'est pour cela que je n'ai jamais rien fait de si bon cœur ni avec tant de confiance en Dieu, que de vous quitter pour son amour, étant fondée sur son saint Évangile, qui était mon guide et ma force. Et lorsque je m'embarquais pour le Canada, et que je

[20] Dom Guy-Marie Oury, *Marie de l'Incarnation, 1599-1672*, t. II, p. 298.

[21] *Ibid.*, p. 294.

voyais l'abandon actuel que je faisais de ma vie pour son amour, j'avais deux vues dans mon esprit, l'une sur vous, l'autre sur moi. À votre sujet, il me semblait que mes os se déboîtaient et qu'ils quittaient leur lieu, pour la peine que le sentiment naturel avait de cet abandonnement[22].

Derniers arrangements à Paris

Le soir du 26 février 1639, les voyageurs arrivent à Paris. Nombreuses sont les autorités à rencontrer et les affaires à régler pour mettre à jour les arrangements en vue d'une fondation à Québec.

Les voyageuses sont reçues au couvent des Ursulines du Faubourg Saint-Jacques. Marie de l'Incarnation obtient de cette communauté que l'une d'entre elles, qui le désire d'ailleurs, l'accompagne au Canada. L'autorisation requise et obtenue de l'Archevêque de Paris ne dure pas. En effet, la veille du départ des missionnaires, il retire son consentement. Le Prélat ne se résout pas à donner son approbation, car selon lui, il est impensable que des religieuses cloîtrées partent dans les pays de missions. On refait alors le contrat de fondation dans laquelle cette Parisienne avait été comptée[23].

De son côté, Madame de la Peltrie se doit d'accepter la démission de sa demoiselle de compagnie qui prend peur et refuse de partir. Heureusement, Charlotte Barré, une jeune fille de dix-neuf ans, originaire de Tours,

[22] *Correspondance*, Lettre à son fils 16 août 1664, p. 725.
[23] Voir *Témoignage*, p. 212.

accepte de suivre le groupe malgré tous les possibles dangers – plus tard, elle deviendra ursuline à Québec. Après presque deux mois de séjour à Paris, les affaires suffisamment réglées, le convoi prend la route vers la mer au début d'avril 1639.

Cette année-là, les vents contraires d'ouest ne cessent pas. Les voyageuses célèbrent la fête de Pâques chez les Ursulines de Dieppe où elles sont hébergées. L'attente dure jusqu'au dimanche suivant. Ces jours sont l'occasion d'une heureuse décision : une ursuline de Dieppe, sœur Cécile de Sainte-Croix, demande et obtient l'autorisation de se joindre à ses sœurs ursulines pour la mission canadienne.

Au même moment, à l'Hôtel-Dieu de Dieppe, trois religieuses hospitalières sont prêtes à partir. Elles se rendent à Québec pour ouvrir un hôpital, fondé par Madame la duchesse d'Aiguillon. Les unes et les autres apprennent qu'elles voyageront sur le même navire, le Saint-Joseph, commandé par le capitaine Bontemps. Les six religieuses missionnaires participent ensemble à la célébration de l'Eucharistie à la chapelle de l'Hôtel-Dieu. C'est de là qu'elles montent dans le carrosse de la femme du gouverneur de Dieppe pour se rendre au bord de la mer. À compter de ce jour, une amitié s'est nouée entre les deux communautés, Ursulines et Augustines, une amitié qui ne s'est jamais démentie depuis plus de quatre siècles.

Ce matin du 4 mai 1639, Marie de l'Incarnation voit le moment tant désiré enfin arrivé : elle peut effectivement risquer sa vie pour Dieu et lui rendre ce témoignage d'affection[24].

Lorsque je mis le pied en la chaloupe qui nous devait mener en rade, il me sembla entrer en paradis, puisque je faisais le premier pas qui me mettait en état de risquer ma vie pour Celui qui me l'avait donnée. Je chantais en moi-même les miséricordes d'un Dieu si bon qui me conduisait avec tant d'amour au point que j'avais désiré, il y avait si longtemps[25].

Fidèle à ses protégées, Monsieur de Bernières les accompagne jusqu'au port. Malgré son désir de passer en Nouvelle-France, il demeure là puisque Madame de la Peltrie l'a constitué procureur de la dépense de la fondation et de ses affaires en France[26].

---

[24] *Ibid.*, p. 213.
[25] *Ibid.*, p. 214.
[26] *Ibid.*

11

LA TRAVERSÉE DIEPPE-QUÉBEC

> Le gros temps saisit les trois navires quasi dès la sortie du port de Dieppe. La Manche était agitée et toutes les passagères eurent le mal de mer. Mais ce qui était le plus grave, c'était la perspective de rencontrer des corsaires ennemis. Marie écrira par des pêcheurs à la Supérieure de Tours : « Nous sortons de la Manche [...] non sans avoir été en danger d'être prises par les Espagnols et par les Dunkerquois. [...] Notre capitaine a prudemment pris la route de l'Angleterre pour éviter la rencontre[1]. »

Au sortir de la Manche, la nature redevient plus clémente : les voyageuses peuvent se tenir debout. Mais aux alentours du 20 mai, s'amorce une quinzaine de jours où la mer se déchaîne de nouveau. Jour et nuit, l'équilibre sans cesse mis à l'épreuve, le mal de mer rattrape quiconque n'a pas le pied marin. Puis, une autre terrible épreuve : l'eau potable s'est contaminée

[1] *Correspondance*, Lettre XXXIX à mère Françoise de Saint-Bernard, supérieure des Ursulines de Tours, 20 mai 1639, p. 86.

dans des tonneaux mal nettoyés. Marie de l'Incarnation, qui supporte mal le vin, croit mourir de soif. « Je ne dormis point presque toute la traversée. J'y pâtissais un mal de tête si extrême que, sans mourir, il ne se pouvait davantage[2]. »

Déjà pénible, le voyage s'éternise depuis le 4 mai, puis il s'appesantit d'un autre danger. Le 19 juin, le Saint-Joseph est perdu dans le brouillard. Les icebergs sont nombreux dans ces parages et la brume telle qu'on ne voit pas d'un bord du vaisseau à l'autre. En marchant sur le pont, l'un des marins aperçoit l'éclat de la glace qui n'est plus qu'à deux brasses. Il crie : « Miséricorde ! Miséricorde ! nous sommes perdus ! » Le père Vimont descend prévenir les passagères du danger. Le jésuite et les occupantes s'agenouillent pour se disposer à une mort imminente[3].

Dans cette situation périlleuse, Marie de l'Incarnation s'appuie sur le roc de sa foi.

> Durant tout cet effroi, mon esprit et mon cœur étaient dans une paix et tranquillité aussi grandes qu'elles se pouvaient posséder : je ne ressentis pas un seul mouvement de frayeur, mais je me trouvai en un état tout prêt pour faire un holocauste de tout moi-même, avec l'acceptation de la privation de voir nos chers Sauvages. J'avais en vue toutes les grâces et faveurs que Notre Seigneur m'avait faites au sujet du Canada, son commandement, ses promesses, et

---

[2] Dom Claude MARTIN, *Marie de l'Incarnation, Écrits spirituels et historiques*, t. II, p. 246.

[3] Voir dom Guy-Marie OURY, *Marie de l'Incarnation, 1599-1672*, t. II, p. 325.

> mon esprit se trouvait en un dépouillement de mourir ou de vivre. Toute ma pente était dans l'accomplissement des volontés de Dieu, qui, dans toutes les apparences, allait s'effectuer par notre mort. Madame de la Peltrie se tenait comme collée à moi, pour mourir ensemble[4]. Le pilote qui gouvernait, auquel on commanda de mettre le gouvernail d'un côté, sans qu'il mît rien du sien, le tourna d'un autre, tant qu'il fit faire un tour au vaisseau : ce qui fit que la monstrueuse glace, qui alors n'en était pas à la longueur d'une pique vis-à-vis de la flèche, se trouva au côté. Nous l'entendîmes frayer tant elle était proche. C'était un miracle évident. Je vis cette horrible glace. La brume nous empêcha d'en voir la cime. Durant tout l'effroi de l'équipage, j'avais au fond de mon âme un sentiment que nous arriverions à bon port à Québec[5].

La description que fait Marie de l'Incarnation de cet incident a été corroborée par le récit pittoresque et détaillé de sœur Cécile de Sainte-Croix à la supérieure de Dieppe[6].

Enfin, la terre ! À cause de sa dimension, le Saint-Joseph ne pouvant pas s'engager dans le fleuve Saint-Laurent, il accoste à Tadoussac. Les religieuses ne sont pas invitées à descendre à terre. On transborde tous les passagers sur le Saint-Jacques, un plus petit vaisseau. Sœur Cécile de Sainte-Croix raconte ainsi la suite de leur expérience :

---

4 *Témoignage*, p. 215.
5 *Ibid.*, p. 216.
6 Voir *Correspondance*, 2 septembre 1639, p. 951.

> Nous y étions si étroitement logées que lorsque nous étions toutes assises autour du coffre qui servait à dire la messe, prendre les repas, celles d'un bout ne pouvaient passer sans faire lever les autres, car on n'avait justement que sa place et encore bien étroite ; et pour coucher, il était besoin d'ajuster des planches sur le coffre et jeter nos matelas dessus[7].

Marie de l'Incarnation, pour sa part, raconte à son fils leurs premières impressions dans la rencontre des Amérindiens :

> Nous fîmes la rencontre de plusieurs Sauvages en abordant aux terres : ce qui nous apporta une grande joie. Ces pauvres gens [...] étaient tous dans l'admiration, et, lorsqu'on leur dit que nous étions des filles de Capitaines, – car il leur fallait parler à la mode du pays – qui, pour l'amour d'eux, avions quitté notre pays, nos parents et toutes les délices, ils étaient ravis d'étonnement, et encore plus d'apprendre que c'était pour instruire leurs filles, et leur apprendre comment il fallait être éternellement bienheureux. Ils ne pouvaient comprendre cela. Ils nous conduisirent, suivant notre navire, jusqu'à Québec[8].

Le 26 juillet, jour de la fête de sainte Anne, particulièrement vénérée par les marins bretons, le père Vimont obtient la permission de descendre à terre. Les pieds sur la terre ferme après trois mois sur l'océan ! Une chaloupe leur permet de rejoindre la berge. « L'on s'y

---

[7] *Correspondance*, Lettre à la supérieure des Ursulines de Dieppe, 2 septembre 1639, p. 954.

[8] *Témoignage*, p. 217.

jeta à la foule, en sorte que nous fûmes à deux doigts de couler à fond sous le navire[9]. »

Le 29 juillet : nouveau transbordement ! Les vents d'ouest persistants ne permettent pas au Saint-Jacques de voguer jusqu'à Québec à moins de plusieurs jours. Dans la barque, les passagers vivent sous le vent et la pluie torrentielle ou dans la cale malodorante des morues[10] ! Le conducteur de la chaloupe se voit dans l'impossibilité d'arriver à Québec avant la nuit. Après trois jours consécutifs à la pluie, tout le monde est trempé. Le père Vimont demande alors de toucher terre à l'extrémité ouest de l'Île-d'Orléans, en face de Québec. Le gouverneur de Québec, Monsieur de Montmagny, envoie deux hommes en canot chargé de victuailles. Le gouverneur dépêche ensuite sa propre chaloupe. Sœur Cécile de Sainte-Croix raconte ces heures tout aussi émouvantes que pénibles :

> On nous alluma un bon feu et nous séchâmes en partie. Nous soupâmes à terre avec de la morue sèche et sans beurre. On nous fit une cabane à la façon des sauvages ; et encore que notre lit fût d'une couverture simple sur terre, je dormis bien. Le lendemain matin, nous retournâmes en la barque et arrivâmes à Québec sur les huit heures du matin, le premier août 1639[11].

---

[9] *Ibid.*

[10] Voir dom Guy-Marie Oury, *Marie de l'Incarnation, 1599-1672*, t. II, p. 328.

[11] *Correspondance*, Lettre à la supérieure des Ursulines de Dieppe, 2 septembre 1639, p. 955.

La journée est annoncée fériée pour la circonstance. Aux premières heures de ce premier jour d'août 1639, toute la colonie se rassemble au port de Québec pour offrir un chaleureux accueil. Sous leurs pieds, tous les voyageurs sentent la terre canadienne. Le père Vimont récite une prière et tous les habitants de la colonie se joignent à lui. Chacun sait bien l'importance que prend l'arrivée de ce renfort pour le développement de la colonie. La procession entreprend la montée de la côte qui borde le fleuve vers la chapelle Notre-Dame-de-Recouvrance où un *Te Deum* d'action de grâce est chanté et la messe célébrée. Ensuite, Monsieur le gouverneur conduit le groupe vers le fort pour prendre un repas.

Pendant tout le temps de cette dernière étape de la traversée, le paysage à perte de vue du fleuve et de la forêt émerveille les nouveaux venus. Marie de l'Incarnation y reconnaît, avec non moins d'étonnement et d'émotion, le pays vu en songe au temps de Noël 1634[12].

L'heure arrive enfin de prendre un peu de repos. Les hospitalières sont conduites à une maison située très proche du fort ; elles y habiteront le temps nécessaire à l'achèvement de leur « hôpital ». Les ursulines redescendent jusqu'au fleuve. Au bord de l'eau, un logement avait été loué par Madame de la Peltrie, avant même le départ de la France. Les trois ursulines, Madame de la Peltrie et Charlotte Barré s'organisent dans trois pièces : deux petites chambres et une salle.

---

[12] Voir *Témoignage*, p. 222.

Dès le lendemain, les pères Jésuites conduisent les ursulines à Sillery, le village des sauvages, « nos très chers frères », écrit Marie de l'Incarnation. « Là nous reçûmes des consolations très grandes, les entendant chanter les louanges de Dieu en leur langue[13]. »

---

13 *Témoignage*, p. 220.

12
PIONNIÈRE À L'ŒUVRE ET À L'ÉPREUVE

Le premier chrétien nous donna sa fille, et en peu de jours, l'on nous en donna plusieurs autres avec toutes les filles françaises qui étaient capables d'instruction. [...] Notre petite maison fut bientôt réduite en un hôpital, par l'accident de la petite vérole. [...] Comme nous n'avions pas encore de meubles, tous les lits étaient sur le plancher, en une si bonne quantité qu'il nous fallait passer par-dessus les lits des malades. Trois ou quatre de nos filles sauvages moururent. La divine Majesté donnait une si grande ferveur et courage à mes sœurs que pas une n'avait de dégoût des maux et saleté des sauvages. Madame de la Peltrie y voulut tenir le premier rang, et, quoiqu'elle fût d'une constitution fort délicate, elle s'employait dans les travaux les plus humbles[1].

Les divers emplois devaient s'exécuter par une main-d'œuvre réduite, dans des espaces exigus :

---

[1] *Témoignage*, p. 220.

> Notre logement était si petit qu'en une pièce d'environ seize pieds en carré étaient notre chœur, notre parloir, dortoir, réfectoire, et dans une autre, la classe pour les Françaises et pour les Sauvages, et notre cuisine. Nous fîmes faire un appentis pour la chapelle et la sacristie[2]. On ne croirait pas les dépenses qu'il nous a fallu faire dans cette petite maison, quoiqu'elle soit si pauvre que nous voyons par le plafond reluire les étoiles durant la nuit, et qu'à peine y peut-on tenir une chandelle allumée à cause du vent. [...] Un lit est proche de la terre, et l'autre, il y faut monter avec une échelle[3].

La promiscuité n'aide sûrement pas l'urgent apprentissage des langues. À ce propos, Marie de l'Incarnation ne cache pas les efforts requis pour apprendre des langues tellement étrangères au français.

> Il me semblait qu'apprenant des mots et des verbes par cœur, des pierres me roulaient dans la tête. [...] Tout cela me faisait croire qu'humainement, je n'y pouvais réussir. J'en traitais amoureusement avec Notre Seigneur, lequel m'aida en sorte qu'en peu de temps, j'y eus une si grande facilité que, dès la deuxième année de notre arrivée, je n'avais nulle peine à enseigner nos saints mystères à nos néophytes. [...] Cette étude était rude à la nature[4].

Dès le printemps suivant, les religieuses doivent encore compter avec les visiteurs amérindiens qui viennent chez elles en bon nombre.

---

[2] *Ibid.*, p. 222.
[3] *Correspondance*, Lettre XLIII, 3 septembre 1640, p. 98.
[4] *Ibid.*, p. 221.

> Nous fûmes quatre ou cinq ans de suite dans un exercice continuel de charité à l'endroit de ces pauvres Sauvages, qui arrivaient ici de diverses nations. [...] Les Sauvages sont très sales et leur boucan les rend de mauvaise odeur, outre qu'ils ne se servent jamais de linge. Tout cela ne nous était point à dégoût ; au contraire c'était à l'envi à qui dégraisserait nos chères séminaristes lorsqu'on nous les donnait. Notre Seigneur nous a toujours conservé cette grâce que nous avons trouvée être nos délices parmi ces chères âmes rachetées du Sang de Jésus Christ[5].

Bien que fort exigeante, il faut croire que cette situation n'empêche pas des fous rires et des moments de détente. Ainsi, sœur Cécile de Sainte-Croix souligne l'apport de sœur Marie de Saint-Joseph dans une lettre à la supérieure des Ursulines de Dieppe.

> Au temps de la récréation, elle nous fait souvent pleurer à force de rire ; il serait bien difficile d'engendrer de la mélancolie avec elle. Elle savait jouer de la viole et elle s'en servait pour s'attacher les Indiens. [...] Il y a du plaisir à voir les Sauvages et les Sauvagesses auprès de la viole [...] et elle les fait parfois danser à la mode des Sauvages[6].

De l'espace : une urgence

« Bâtir une maison à Jésus et à Marie » n'est pas qu'une œuvre spirituelle. C'est d'abord répondre aux besoins des missionnaires et de la mission pour laquelle

[5] *Ibid.*
[6] *Correspondance*, p. 957.

elles sont venues de si loin. Assumer cette responsabilité revient à Marie de l'Incarnation. Appuyée par ses compagnes, la supérieure prend en main la tâche de voir à la construction d'un monastère à Québec.

Dès le 4 août 1639, le père Vimont, le père le Jeune, Monsieur de Montmagny et Madame de la Peltrie, Marie de l'Incarnation, supérieure, accompagnée de sœur Marie de Saint-Joseph, se rendent prospecter un terrain. Depuis longtemps, Monsieur le gouverneur croit cet endroit-là propice à la construction d'un couvent. Marie de l'Incarnation, elle, le « croyait être fort désavantageux ». Quoique son avis soit contraire à celui de tout le groupe, elle déclare, sans opiniâtreté, les inconvénients qu'il y a de bâtir près de Sillery, lieu moins protégé.

Son opinion n'emporte pas l'assentiment de ces gens d'expérience, loin de là ! Pourtant, la supérieure reste convaincue : ce terrain-ci n'assure pas une sécurité suffisante. Ces mêmes personnes consentent à se rendre au lieu désigné par Marie de l'Incarnation. Finalement, « Nous nous établissons à Québec comme au lieu le plus sûr pour nos personnes et le plus avantageux pour l'instruction[7] ». « L'on jette les fondements de notre monastère proche du fort de Québec qui est le lieu le plus sûr. » En 1641, « Cette même année, on commença les fondements du premier monastère qui n'était que de 60 pieds de long sur 28 de large[8] ».

---

[7] *Correspondance*, Lettre à la supérieure de Tours, 16 septembre 1641, p. 144.

[8] *Correspondance*, Lettre à la supérieure de Tours, 24 août 1641, p. 124.

Ainsi, l'actuel monastère est bel et bien construit sur le terrain souhaité par la fondatrice des Ursulines, à Québec. Par bonheur, un point d'eau est découvert dans le sous-sol. Une fois aménagé, le puits fournit de l'eau et dispense de la transporter continuellement et péniblement de l'extérieur. Ce puits, bien qu'inutilisé actuellement, est conservé comme un souvenir précieux au sous-sol du monastère de Québec[9].

Intelligente, de bon jugement et femme d'affaires, tel un maître d'œuvre, Marie de l'Incarnation prend l'initiative de dessiner le plan du futur monastère, d'embaucher des ouvriers et de surveiller la construction. Son courage vient de ce qu'elle s'appuie sur une absolue confiance en la Providence. La communauté est pauvre tout autant que la majorité des habitants de la nouvelle colonie. De la France, quand ils viennent, les secours en ouvriers et en matériaux n'arrivent qu'au printemps.

Depuis leur arrivée en 1639, les Ursulines vivent leur vocation missionnaire dans l'étroit logement situé au bord du fleuve. Commencée en août 1641, la construction du monastère n'est pas entièrement terminée quand les religieuses emménagent dans le nouveau couvent, le 21 novembre 1643.

Au sujet du monastère bâti en pierres, et non en bois comme les autres maisons de la colonie, Marie de l'Incarnation écrit fièrement à son fils : « C'est la plus belle et la plus grande maison qui soit au Canada. Vous

[9] Voir « Annales manuscrites des Ursulines de Québec », citation de dom Guy-Marie Oury, *Marie de l'Incarnation*, t. II, p. 377.

penserez peut-être que cela est petit, mais le froid trop grand ne permet pas qu'on fasse un lieu vaste[10]. » Sûrement plus confortable que la maison du bord du fleuve, mais selon l'opinion des jésuites, ce n'est pas le paradis !

> Les religieuses ont fait agrandir cette année leur corps de logis, pour avoir une chapelle et loger davantage de religieuses et de séminaristes. [...] La rapidité, il fallut l'expier. [...] Le bois sitôt coupé était débité en poutres et en planches. N'ayant pas eu le loisir de sécher, il travailla. Fenêtres et portes fermaient mal ; les châssis des fenêtres étaient mal joints ; le vent entrait au couvent comme chez lui et les ouvriers, imparfaitement initiés aux conditions du pays, s'étaient montrés trop avares de cheminées[11].

Marie de l'Incarnation ne cache pas à son fils à quel point les religieuses souffrent du froid :

> Notre cheminée est au bout du dortoir pour échauffer le couloir et les cellules dont les séparations ne sont que de bois de pin. [...] Ne croyez pas qu'on puisse être longtemps en sa cellule l'hiver sans se chauffer, ce serait un grand excès d'y demeurer une heure, encore faut-il avoir les mains bien cachées. [...] Nos lits sont de bois, qui se ferment comme une armoire ; quoiqu'on les double de couvertes et de serges, à peine y peut-on s'y chauffer[12].

[10] *Correspondance*, Lettre à son fils, 26 août 1644, p. 218.
[11] Voir *Relation, 1644*.
[12] *Correspondance*, Lettre à son fils, 26 août 1644, p. 220.

Une abondante correspondance

La correspondance occupe une place importante dans la vie de Marie de l'Incarnation, disons plutôt, plusieurs nuits ! L'environnement et l'entourage ne favorisent guère l'attention requise pour rédiger certaines lettres d'affaires destinées à la France, des lettres de sollicitation d'aide à des personnes fortunées, leur démontrant les besoins de la mission, des lettres à son « très cher fils », Claude.

> Je vous écris la nuit pour la presse des lettres et des vaisseaux qui vont partir. J'ai la main si lasse qu'à peine la puis-je conduire[13].
> Je suis extrêmement fatiguée de la quantité de lettres que j'ai écrites. Je crois qu'il y en a de la valeur de plus de deux cents ; il faut faire cela dans le temps que les vaisseaux sont ici[14].
> Dans le peu de temps que les navires restent ici, il ne m'est pas possible d'écrire à tous ceux à qui je suis obligée de faire réponse, en sorte que je serai obligée d'en remettre comme je crois, plus de six-vingt [120] à l'année prochaine, à mon grand déplaisir[15].
> Je n'ai jamais tant veillé que depuis quatre mois, parce que la nécessité de nos affaires et de notre rétablissement ne m'a laissé de libre que le temps de la nuit pour mes dépêches. [...] Le jour, je ne puis vous dire combien j'ai

---

13 *Correspondance*, Lettre à son fils, 30 septembre 1643, p. 202.
14 *Correspondance*, Lettre à son fils, 15 septembre 1644, p. 240.
15 *Correspondance*, Lettre à son fils, 23 octobre 1651, p. 425.

> d'interruptions, cette lettre est courte et cependant il m'a fallu faire tantôt une ligne, tantôt une autre[16].

Le courrier ne comporte pas seulement la préoccupation d'affaires à régler. Aussi, quand Marie de l'Incarnation apprend l'entrée de Claude chez les Bénédictins, le 15 janvier 1641, par le retour des bateaux, elle lui écrit avec tout son cœur :

> Votre lettre m'a apporté une consolation si grande qu'il me serait très difficile de vous l'exprimer. [...] Notre bon Dieu me donna le calme et la créance que son amoureuse et paternelle bonté ne perdait point ce qu'on avait abandonné pour son amour. Votre lettre me fit voir ce que j'avais espéré pour vous et bien par dessus mes espérances, puisque sa bonté vous a placé dans un ordre si saint et que j'honore et estime grandement ; j'avais souhaité cette grâce pour vous, mais comme il faut que les vocations viennent du ciel, je ne vous en dis mot, ne voulant pas mettre du mien en ce qui appartient à Dieu seul[17].

Il y a encore les événements familiaux. Ainsi, la sœur de Marie de l'Incarnation, Claude Guyart-Buisson, est décédée au début de l'année 1643. Sa fille Marie a alors quinze ans. Sa tante la considère toujours comme sa propre fille puisqu'elle l'a élevée en même temps que son fils alors qu'elle travaillait chez ses parents. Ceux-ci étant décédés, l'adolescente est abord accueillie chez un parent. En 1644, cette jeune fille entre chez les Ursulines

[16] *Correspondance*, Lettre à une ursuline de Tours, 24 octobre 1652, p. 497.

[17] *Correspondance*, Lettre à son fils, 4 septembre 1641, p. 130.

de Tours. Après sa Profession, elle veut rejoindre sa tante au Canada. Marie de l'Incarnation lui garde un amour assez fort et honnête pour refuser à sa nièce une mission qui ne lui semble pas solidement motivée.

Le départ de Madame de la Peltrie

Le récit des premières années des Ursulines à Québec ne peut passer sous silence l'épreuve du départ de Madame de la Peltrie. Relevons certaines coïncidences où en France, Jérôme Le Royer de la Dauversière croit être choisi par Dieu pour fonder une nouvelle colonie en vue de la conversion des Sauvages. Jeune Français fortuné, Pierre Chevrier s'intéresse à son projet. Les deux associés font des démarches et obtiennent la concession de l'île de Montréal. Intervient alors Paul de Chomedey de Maisonneuve qui accepte de prendre la tête des paysans et des soldats déjà recrutés et prépare l'embarquement. À La Rochelle, Jeanne Mance se présente et offre ses services pour le projet en cours. Inspirée de l'exemple de Madame de la Peltrie qu'elle admire, Jeanne désire se consacrer aux missions du Canada.

Le 8 août 1641, Jeanne Mance arrive à Québec sur le premier bateau qui accoste à quelques pas de la maison des Ursulines située près du fleuve. Monsieur de Maisonneuve arrive beaucoup plus tard. Jeanne Mance, qui s'inquiète du sort de l'autre embarcation, trouve réconfort auprès de Madame de la Peltrie arrivée au pays depuis 1639. Celle-ci a 39 ans et Jeanne, 35 ans, et elles viennent à peu près de la même situation sociale. Une même ferveur apostolique favorise une amitié qui se développe entre elles. Quand Monsieur de Maisonneuve arrive, la saison est avancée : il n'est pas question de partir pour Montréal. Jeanne Mance, Madame de la Peltrie et Monsieur de Maisonneuve passent l'hiver dans la même maison à Québec.

Au grand détriment de la communauté, Madame de la Peltrie décide d'aider l'établissement de Montréal. Comme sa fortune ne peut pas soutenir deux fondations, elle abandonne son contrat à Québec, apporte meubles et effets et part avec l'équipage de Monsieur de Maisonneuve. À Québec, les Ursulines se retrouvent privées de revenus essentiels. Les secours demandés à la France arriveront parcimonieusement à la reprise de la navigation, l'été suivant.

Avec une foi à toute épreuve, Marie de l'Incarnation poursuit la construction du monastère, encourage ses sœurs et souffre du fait de les voir plongées dans un tel dénuement. Elle écrit alors en France à des dames fortunées, espérant les toucher par la description du travail apostolique déjà entrepris, et par la nécessité dans laquelle la communauté ne peut survivre par elle-même. Les confidences de Marie de l'Incarnation en disent long sur la précarité de la situation de la communauté et de son œuvre apostolique.

> Vous savez la grande affection qu'a eue pour nous notre bonne fondatrice, qui nous a amenées en Canada avec une générosité, comme tout le monde sait, des plus

> héroïques. Elle a demeuré un an avec nous dans ce même sentiment et dans un cœur tout maternel, tant à notre égard qu'envers nos séminaristes.
> Elle commença ensuite à vouloir visiter les Sauvages de temps en temps, ce qui était très louable. [...] n'étant pas religieuse, il était raisonnable de la laisser à sa liberté. [...] Cependant le temps passait et son affection à nous établir diminuait de jour en jour. [...] Elle reprit ensuite ses meubles et plusieurs autres choses qui servaient à l'Église et au séminaire et qu'elle nous avait donnés. [...] Elle ne nous a pas laissé pour coucher pour plus de trois séminaristes, et cependant nous en avons quelquefois plus de quatorze. [...] Puis, avec Jeanne Mance, elle partit vers Montréal avec l'équipage de Monsieur de Maisonneuve. [...] Elle a tant de piété et de crainte de Dieu, que je ne puis douter que ses intentions ne soient bonnes et saintes. Ce grand changement a mis nos affaires dans un très mauvais état.
> Monsieur de Bernières me mande qu'il nous faut résoudre, si Dieu ne nous assiste d'ailleurs, de congédier nos séminaristes et nos ouvriers, ne pouvant suffire à leur entretien. [...] Et de plus, dit-il, si Madame votre fondatrice vous quitte, comme j'y vois de grandes apparences, il vous faudra revenir en France, à moins que Dieu ne suscite une autre personne qui vous soutienne[18].

Marie de l'Incarnation, espérant contre toute espérance, garde les séminaristes et les ouvriers, « espérant que notre bon Jésus ne nous a pas amenées ici pour

[18] *Correspondance*, Lettre à Mlle de Luynes, 29 septembre 1642, p. 173.

nous détruire et nous faire retourner sur nos pas[19] ». Et elle continue de demander de l'aide à Monsieur de Bernières comme si de rien n'était.

Madame de la Peltrie se ravise et revient à Québec vraisemblablement à l'automne de 1643. Elle s'occupe à nouveau de sa fondation à laquelle les Ursulines ne peuvent renoncer. À proximité du monastère, Madame de la Peltrie s'était fait construire « une petite maison à deux étages, de dix mètres de long et sept de large[20] ». Elle y habite désormais et elle prend au sérieux ses engagements financiers et se réserve aussi du temps pour la prière. Elle revient auprès des petites Amérindiennes qu'elle aime et qui le lui rendent bien.

En 1646, Madame de la Peltrie demande à entrer au noviciat des Ursulines, de même que Charlotte Barré, qui l'accompagne depuis le départ de la France. Charlotte a une vocation solide et elle fait profession. En ce qui concerne la fondatrice, il fut jugé qu'elle n'avait pas la vocation pour être ursuline.

Accueil des Hurons

En 1649, des Hurons arrivent avec l'intention de se fixer à Québec. Ils comptent de 400 à 500 chrétiens. À cinquante ans, Marie de l'Incarnation, la courageuse missionnaire, s'adonne à l'apprentissage de leur langue.

---

[19] *Ibid.*, p. 176.

[20] Voir *Correspondance*, Lettre à son fils, 26 août 1644, note 9, p. 225.

« J'appris donc celle-ci pour enseigner les prières et le catéchisme aux filles et femmes, ce que nous faisions alternativement par semaine, la Mère de Saint-Joseph et moi, à une pleine cabane[21]. » Marie de l'Incarnation parlait déjà l'algonquin et le montagnais et, plus tard, elle apprendra l'iroquois. « Il faut tout entreprendre pour le service de Dieu et le salut du prochain[22]. »

> La consolation qui me restait, voyant ces fugitifs, était d'être proche d'eux et que nous aurions de leurs filles. [...] Nous avions une assez grosse famille que nous assistions tous en les nourrissant. Comme dépositaire, c'était moi qui distribuais chaque semaine la dépense à ceux dont nous nous étions chargées ; ce qui me donnait beaucoup de consolations de leur pouvoir rendre ce petit service[23].

Ordination sacerdotale de Claude

Une grande joie adoucit la vie de Marie de l'Incarnation. Claude est ordonné prêtre chez les Bénédictins ; il célèbre sa première messe le 11 novembre 1649, jour de la fête de saint Martin de Tours. Sa mère attend le retour des bateaux qui apporteront à son fils la lettre lui témoignant sa joie et son action de grâce au Seigneur.

Dans cette lettre, la mère se garde d'assombrir la joie d'un tel événement : elle n'informe pas le nouveau prêtre du fait qu'elle est atteinte d'une maladie sérieuse.

---

[21] *Autobiographie*, p. 257.
[22] *Correspondance*, Lettre à son fils, 17 mai 1650, p. 189.
[23] *Témoignage*, p. 257.

Mais précédemment, une ursuline avait cru bon de l'en informer. « Elle fut malade à l'extrémité. Sa vertu lui fait toujours aussi bonne compagnie dans la maladie que dans la santé, elle se fit admirer pour lors par l'exercice de sa patience, dans sa résignation aux volontés de Dieu, et de son obéissance à celles qui la traitaient[24]. »

Le 30 août 1650, elle écrit elle-même à son fils : « S'il arrive qu'on vous porte l'année prochaine les nouvelles de ma mort, bénissez-en Dieu, et offrez-lui pour moi le saint sacrifice de la Messe[25]. » Bien qu'elle soit malade et souffrante, son courage ne se dément pas.

---

[24] *Correspondance*, Lettre de sœur Marie de Saint-Joseph à Claude Martin, 1646, p. 982.

[25] *Correspondance*, p. 395.

13

LA GRANDE ÉPREUVE DU FEU

À peine remise d'une maladie qui a failli l'emporter, Marie de l'Incarnation porte avec ses compagnes le poids d'une pauvreté qui ne se résorbe pas. Les secours attendus en vain de la France, la communauté en est déjà réduite à la mendicité quand les Ursulines sont mises à rude épreuve : le feu rase leur maison.

L'intrépide missionnaire raconte à son fils les circonstances de l'incendie qui réduit en cendres le monastère et ruine les Ursulines. Des extraits de sa lettre donnent une idée de l'ampleur de ce désastre survenu au plus froid de l'hiver canadien.

> Le trentième de décembre dernier, 1650, en l'octave de la Naissance de Notre Seigneur, il voulut nous faire part des souffrances et des pauvretés de sa crèche en la manière que je vais vous dire.
>
> Une bonne Sœur ayant à boulanger le lendemain, disposa ses levains, et à cause du grand froid, elle fit du feu de charbon qu'elle enferma dans le pétrin, afin de les échauffer ; son dessein était d'ôter le feu, avant que de se

coucher, mais comme elle n'avait coutume d'user de feu en cette occasion, elle s'en oublia facilement. Le pétrin était si bien étoupé de tous côtés, qu'une sœur ayant été en ce lieu sur les huit heures du soir, ne vit aucune marque qu'il y eût du feu. Or le charbon ayant séché le pétrin qui était de bois de pin naturellement onctueux, y mit le feu, qui prit ensuite aux cloisons et lambris, puis aux planchers, et à l'escalier, qui était justement sous le séminaire, où la Mère-des-Séraphins était couchée pour garder ses filles. Elle s'éveilla en sursaut au bruit et au pétillement du feu, et se leva tout d'un coup, s'imaginant qu'on lui disait : Levez-vous promptement, sauvez vos filles, elles vont brûler toutes vives. [...] Alors toute effrayée, elle crie à ses filles : « Sauvez-vous, sauvez-vous » et là, elle monta au dortoir pour éveiller la Communauté. Une religieuse sonna la cloche pour appeler le secours. [...]
Je voulus monter au lieu où j'avais mis des étoffes, et d'autres provisions en réserve pour la Communauté ; mais Dieu me fit perdre cette pensée pour suivre celle qu'il me donna de sauver les papiers d'affaires de notre Communauté. Je les jetai par la fenêtre. J'avais dans la pensée que les Sœurs s'étaient sauvées à demi-nues, il fallait de quoi les couvrir. Je voulus donc aller au petit magasin. [...] J'étais entre deux feux, et un troisième me suivait comme un torrent. [...] Pour me sauver, il me fallut passer sous la cloche, et me mettre en danger d'être ensevelie sous la fonte. Deux religieuses avaient rompu la grille, qui n'était que de bois, afin de se sauver et les enfants avec elles. [...]
Sœur Marie de Saint-Ignace entra dans la chambre, sauva les enfants, et au même temps les planchers croulèrent. J'étais encore dans les dortoirs, où voyant qu'il n'y avait

plus rien à faire pour moi, et que j'allais périr, je fis une inclination à mon crucifix, acquiesçant aux ordres de la divine Providence, et lui faisant un abandon de tout, je me sauvai par le parloir qui était au bout du dortoir. [...] J'attribue à un vrai miracle qu'aucune de nous ni de nos filles n'ait été consumée dans un feu si prompt et si violent.

Nos pensionnaires et nos séminaristes pensèrent mourir de froid. Ce qui me touchait le plus, c'était de voir l'incommodité que notre pauvre malade allait souffrir[1]. J'avais jeté mes habits par notre fenêtre, mais ils demeurèrent accrochés aux grilles du réfectoire, où ils furent brûlés comme tout le reste ; ainsi je demeurai nue comme les autres, que je trouvai sur la neige, où elles priaient Dieu, en regardant cette effroyable fournaise.

Les Pères vinrent au secours des ursulines. Le Supérieur fit porter les enfants dans la cabane de nos domestiques, et dans la maison d'un de nos voisins. Pour nous, il nous mena dans sa maison. On nous donna en chemin deux ou trois paires de chausses pour quelques-unes qui étaient nu-pieds. Madame notre Fondatrice était du nombre ; elle a perdu aussi bien que nous, tout ce qu'elle avait. Il n'y avait que trois religieuses qui avaient des chaussures, car elles s'étaient couchées ainsi le soir pour mieux résister au froid.

Un honnête homme, ne pouvant comprendre comment on pouvait porter un tel coup sans en faire paraître de la douleur par quelque démonstration extérieure, dit tout haut : « Il faut que ces filles-là soient folles, ou qu'elles aient un grand amour de Dieu. » Celui qui

---

[1] Sœur Marie de Saint-Joseph, sa compagne de toujours.

nous a touchées de sa main sait ce qui en est, et ce que sa bonté opéra pour lors en nos cœurs : ce sera dans un cahier particulier que je vous le dirai, car je ne parle ici que de l'extérieur, et du sensible. Tout cela faisait croire que nous ne penserions plus qu'à retourner en France. Les Révérendes Mères de l'Hôpital, [...] nous envoyèrent quérir pour nous loger en leur maison. [...] Elles nous revêtirent de leurs habits gris, et nous fournirent de linge et de toutes nos autres nécessités, à quinze que nous étions [dont dix ursulines]. [...] Nous étions dans leur maison comme si nous eussions été leurs Sœurs. [...] Avec un si grand concours de grâces, qui nous faisaient acquiescer avec amour à toutes les volontés de Dieu sur nous, aucune ne témoigna de l'inclination à retourner à notre ancienne patrie. [...]
Après trois semaines de séjour chez nos bonnes et charitables hôtesses[2], on nous conduisit dans un petit bâtiment que Madame notre Fondatrice fit faire il y a quelque temps, mais qu'elle nous avait donné depuis. Ce nous fut une consolation sensible dans ce petit appartement, de voir l'amour et l'affection des habitants à notre endroit.

Les Hospitalières, à même la pauvreté d'une récente fondation, prêtèrent toutes sortes de commodités, tant pour nous que pour nos domestiques. Les Pères donnèrent jusqu'aux étoffes qu'ils avaient en réserve pour se faire des habits, des vivres, du linge, des couvertures, des journées de leurs Frères et de leurs domestiques ; enfin, sans leur extrême charité nous serions mortes de faim et de misère.

[2] Le 21 janvier 1651.

> La compassion est passée même jusqu'aux pauvres : l'un nous offrait une serviette, l'autre une chemise, l'autre un manteau. Un autre nous donnait une poule, un autre quelques œufs. [...] Vous savez la pauvreté du pays, mais la charité y est encore plus grande. Cependant il n'y a que la divine Providence qui nous puisse relever de la perte de nos biens[3].
>
> Après notre désastre arrivé, plusieurs de nos amis crurent que nous serions découragées et qu'infailliblement il nous faudrait repasser en France, n'ayant pas les moyens de nous rétablir et relever d'une perte si notable, puisque nous avions tout perdu. [...] J'avais un instinct intérieur, qui me disait que cette affaire m'allait tomber sur le dos et qu'il me fallait recommencer[4].

Les autorités civile et religieuse prennent un certain temps avant de donner l'aval au projet si audacieux : reconstruire sur les mêmes fondations rocheuses, mais aussi sur une accumulation de dettes. La résolution est, que sans retarder davantage, il faut rebâtir[5].

> L'affaire ayant été communiquée à notre communauté, nous fûmes toutes dans le même sentiment, de faire un effort avec l'aide de nos amis de relever notre monastère sur ses mêmes fondements.
>
> Ayant donc connu la volonté de Dieu et qu'il voulait se servir de moi au dessein de notre rétablissement, [...] je ressentis mon esprit fort et rempli de courage pour vaquer

---

[3] *Correspondance*, Lettre à son fils, 3 septembre 1651, p. 412-416.

[4] *Témoignage*, p. 259-260.

[5] Voir *Correspondance*, Lettre à son fils, 3 septembre 1651, p. 416.

> jour et nuit à cet ouvrage que je considérais appartenir à la très sainte Vierge, notre digne Mère et Supérieure. Je l'appelle « notre Supérieure », parce que nous l'avions reconnue comme telle, avec une grande solennité, quelque temps avant notre incendie.
>
> Je n'eus pas plus tôt commencé que je ressentis son assistance, [...] qui était que je la sentais continuellement présente. [...] Je la sentais, sans la voir, auprès de moi, m'accompagnant partout dans les allées et venues. [...] En chemin faisant, je m'entretenais avec elle, lui disant : « Allons, ma divine Mère, allons voir nos ouvriers. » Selon les occurrences, j'allais en haut, en bas, sur les échafaudages, sans crainte, l'entretenant de la sorte. [...] Je lui disais souvent : « Ma divine Mère, gardez, s'il vous plaît, nos ouvriers. » Et il est vrai qu'elle les a si bien gardés que, dans la bâtisse et construction, pas un n'a été blessé[6].

La reconstruction du monastère emprunte le rythme d'ouvriers inexpérimentés, munis d'équipement rudimentaire. Des dettes s'ajoutent à celles, non encore éteintes, du premier monastère. Marie de l'Incarnation, femme réaliste, lance des appels au secours en France par le biais des Pères jésuites, mais aussi par des lettres adressées à des amis. Souvent, ses aveux de détresse demeurent sans réponse.

Madame de la Peltrie, une dame généreuse, ne semble pas posséder le sens des urgences :

> Elle n'a pas eu l'inspiration de nous aider dans nos bâtiments, tout son cœur se porte à son église qu'elle fera faire peu à peu de son revenu qui est assez modique.

---

[6] *Témoignage*, p. 261.

On la persuade de n'y pas penser, mais elle dit que son plus grand désir est de faire une maison au bon Dieu[7]. J'eus un mouvement très particulier de demander au Père supérieur de nous faire la charité de nous donner le R. P. François Le Mercier pour m'assister pendant toute cette entreprise. [...] C'est un administrateur hors pair, un esprit clair, précis et zélé. [...] Marie de l'Incarnation put alors se reposer sur lui pour une multitude d'affaires. Celui-ci travaillait de concert avec M. d'Ailleboust[8].

La maladie et le décès de sœur Marie de Saint-Joseph

Marie de l'Incarnation et toute la communauté éprouvent très sensiblement l'état de santé de sœur Marie de Saint-Joseph. En 1648, elle est déjà trop malade pour prendre la mer et dans l'impossibilité de répondre au désir de ses parents de la ramener en France. « Mais quand cela se pourrait, ni elle ni notre Communauté n'y consentiraient jamais[9]. »

L'incendie de 1650 occasionna une nuit à la belle étoile dans le froid de décembre : rien pour aider une malade atteinte d'une maladie pulmonaire ! En toute charité et sincérité, Marie de l'Incarnation informe les

---

[7] *Correspondance*, Lettre à son fils, 9 septembre 1652, p. 483.

[8] Dom Claude Martin, *Écrits spirituels et historiques. La Relation de 1654*, t. II, p. 439.

[9] *Correspondance*, Lettre à une religieuse bénédictine, sœur aînée de la malade, 8 octobre 1648, p. 350.

religieuses de Tours de l'état de santé de sœur Marie de Saint-Joseph. Elles lui conservent un si bon souvenir !

> Si Dieu ne fait un miracle en sa personne, elle ne peut vivre longtemps. [...] Elle est si humble qu'elle se croit inutile. [...] Mon sentiment est que c'est un fruit mûr, et que Dieu la dispose à la mort, car elle fait des progrès en la perfection qui ne sont pas ordinaires. La volonté de Dieu soit faite sur elle et sur moi[10].

Si le séjour chez les Hospitalières a apporté quelque réconfort, le retour à la petite maison de Madame de la Peltrie s'avère des plus pénibles pour la malade et très affligeant pour toute la communauté. En effet, du peu d'effets personnels avec lesquels les religieuses survivaient auparavant, il n'en reste rien après l'incendie.

> Notre malade se sentit frappée à mort le jour de la Purification de la sainte Vierge [2 février], et dès lors elle me dit positivement qu'elle en mourrait. Son mal fut un débordement de bile extraordinaire, son foye ne faisant plus autre chose. Cette humeur maligne se répandit par tout le corps et plus abondamment sur son poulmon ulcéré et sur les autres parties pectorales où elle causait des douleurs à qui l'on pourrait donner le nom de martyre. Elle toussait sans répit, ce qui lui faisait jeter beaucoup de sang avec son poulmon. [...] Avec tout cela son asme et sa palpitation ordinaire, accompagnée d'une grosse fièvre, ne la quittaient point. [...]

---

[10] *Correspondance*, Lettre à mère Ursule de Sainte-Catherine, Tours, 18 octobre 1648, p. 355.

> Plusieurs nuits se passaient doucement auprès d'elle : Car dès le premier jour il la fallut veiller, en quoi Dieu a tellement béni nos petits travaux, que nulle de nous n'a été ni malade ni incommodée, ce qui ne s'est pu faire sans une grâce particulière, car nous le devions être toutes, couchant toutes dans une même chambre.
>
> J'avais promis à Monsieur votre Père et à Madame votre Mère de ne la point quitter jusqu'à ce que la mort ou l'obéissance nous séparât, et que je la servirais de tout mon possible. Le quatrième jour d'avril [1652], après une maladie de six mois à trente-quatre ans, elle est morte de la mort des Saints.
>
> Pour la consolation de nos chères Mères et pour la vôtre particulière, j'envoye un récit de la conduite de Dieu sur notre chère défunte. Je devais cela à sa mémoire et à votre affection[11].

Une très longue lettre, conservée dans la *Correspondance*[12], comporte un éloge funèbre très touchant. Marie de l'Incarnation manifeste une grande estime envers celle qu'elle avait choisie pour compagne de mission. Leur fidèle affection mutuelle, vécue dans un soutien fraternel, ne s'est jamais rompue. Pendant les douze années de leur compagnonnage, elles ont œuvré ensemble de tout leur cœur pour

[11] *Correspondance*, Lettre à une ursuline de Tours, 18 septembre 1652, p. 490-492.

[12] *Correspondance*, Lettre à la Communauté des Ursulines de Tours, printemps 1652, p. 436-466.

« bâtir une Église à Jésus et à Marie, au Canada ». Notre Seigneur nous avait unies d'un lien de charité que la mort n'a pu dissoudre. Car je vous puis assurer que votre chère sœur ne m'est point absente et que je suis plus avec elle en esprit, maintenant qu'elle est avec Dieu [...] elle me rend des assistances encore plus efficaces que n'étaient les conseils et les secours qu'elle me donnait quoiqu'ils fussent grands et solides[13].

Le retour au monastère

Les Ursulines n'attendent pas l'achèvement de la construction du nouveau monastère pour y emménager.

> Nous sommes en notre nouveau bâtiment depuis la veille de la Pentecôte [29 mai 1652]. La paroisse et tout le clergé, et un grand concours de peuple y vinrent transporter le très-saint Sacrement du lieu où nous étions logées[14]. [...] Tout le monde était dans la joie de nous voir logées où nous étions auparavant.
> Les trois quarts des habitants ont par leur travail à la terre de quoi vivre. Nous allons nous aussi faire défricher le plus que nous pourrons, tant pour aider à notre nourriture que pour avoir des fourrages pour nos bestiaux. [...] Par une providence de Dieu, ces bestiaux étaient à notre terre de St-Joseph lorsque le monastère fut brûlé, et ainsi ils furent sauvés[15].

---

[13] *Correspondance*, Lettre à sœur Renée de Saint-François, sœur de la défunte, ursuline de Tours, 18 septembre 1652, p. 491.

[14] Le logis de Madame de la Peltrie.

[15] *Correspondance*, Lettre à son fils, septembre 1652, p. 476-477.

> Vous êtes en peine de ce que je vous ai dit qu'il y a eu du miracle dans notre rétablissement. Il y en a eu en effet. Nous avions tout perdu, et notre incendie nous avait mis à nu de toutes choses. Nous avons fait rebâtir notre monastère, nous nous sommes vêtues, nous sommes remeublées. [...] Il y a plus de 24000 livres de la pure Providence, car j'aurais de la peine à dire d'où cela est venu[16].

La Relation : brûlée et réécrite

Jeune et fervent bénédictin en quête de vie spirituelle, Claude découvre bien la qualité et la profondeur de l'existence humaine et spirituelle de sa mère. En toute confiance, il lui demande rien de moins que le récit des grâces qu'elle reçoit depuis son enfance. Il veut aussi en savoir davantage sur son père qu'il n'a pas connu et sur les premières années de sa propre vie. Sa mère se sait débordée, mais Claude y tient tellement ! Lors de l'incendie de 1651, afin d'éviter que des yeux indiscrets lisent les secrets de sa vie spirituelle, elle jette dans le feu ce qu'elle avait préparé pour son fils. Elle le prévient : « Mais à présent, c'en est fait, mon très cher fils, il n'y faut plus penser[17]. »

[16] Dom Claude MARTIN, *Écrits spirituels et historiques. La Relation de 1654*, t. II, p. 493-494.
[17] *Correspondance*, Lettre à son fils, octobre-novembre 1651, p. 426.

Claude revient à la charge auprès de sa mère dont il se sait tendrement aimé. Pour son « très cher et bien-aimé Fils », elle recommence.

> Puisque vous le voulez, si je puis dérober quelques moments à mes occupations qui sont assez continuelles, j'écrirai ce que ma mémoire et mon affection me pourront fournir, afin de vous l'envoyer l'année prochaine[18]. Si vous avez des difficultés sur les matières ou sur la façon de m'expliquer, mandez-moi vos pensées et vos doutes en me désignant le lieu, et je tâcherai avec l'assistance du Saint-Esprit de vous satisfaire[19].
> L'amour et l'affection que j'ai pour vous, et la consolation que je ressens de ce que vous êtes à Dieu, m'ont fait surmonter moi-même pour vous envoyer les écrits que vous avez désirés de moi[20].

En fait, les écrits ne lui parviendront qu'à l'automne 1654. Claude sait pertinemment profiter de la généreuse tendresse de sa mère et ses confidences lui sont strictement destinées. En conséquence, il doit en respecter le secret et faire brûler les écrits de sa mère, s'il vient à se voir près de mourir.

Ni la mère ni le fils ne peuvent s'imaginer le nombre de copies de ses secrets qui se répandent depuis à travers le monde, et combien de lecteurs s'émerveillent de ce que le Seigneur fit pour elle et pour Claude !

---

[18] *Correspondance*, Lettre à son fils, 9 septembre 1652, p. 485.
[19] *Correspondance*, Lettre à son fils, 9 août 1654, p. 526.
[20] *Correspondance*, Lettre à son fils, 27 septembre 1654, p. 548.

La lucidité et la clarté avec lesquelles Marie de l'Incarnation décrit la situation du pays, raconte des faits quotidiens et passe tout de go à des commentaires spirituels, risquent de faire oublier qu'elle écrit souvent dans une température très froide, à la lueur et à l'odeur d'une chandelle de suif. De plus, l'exiguïté des lieux prive de l'espace requis pour la facilitation des confidences.

Dans ses lettres, colligées dans la *Correspondance de Marie de l'Incarnation*, de très nombreuses citations montrent que la fondatrice ne fait pas cavalier seul. Comme elle ne se perd pas de vue, elle sauvegarde son équilibre et contribue à la qualité de la vie communautaire.

> Pour ce qui est de notre petite famille, la paix et l'union y règnent. Nous sommes plus riches en biens spirituels qu'en ceux du siècle : car je vous confesse que nous avons toutes les peines imaginables à subsister après tant de si grands accidents que Dieu a permis nous arriver, et dont nous ne saurions nous remettre. J'espère néanmoins que Dieu qui nous a amenées en sa Nouvelle-France, nous assistera, et qu'à présent que nous sommes rebâties, les dépenses ne seront pas si grandes.
> Pour ce qui est de ma disposition particulière, je suis mon intime Mère, dans une aussi grande paix qu'elle se puisse souhaiter parmi les divers événements des choses très crucifiantes qui se présentent chaque jour, et quasi à chaque moment ; en sorte que si notre bon Dieu ne s'y trouvait, il y en a assez pour faire perdre courage. Pour vous parler simplement, c'est ici un pays de souffrances. [...] Mais il y faut expirer à l'imitation de notre Maître ; et je ne la changerais pas, sinon par l'ordre d'une volonté

supérieure, à tous les biens de la terre, quoique tout mon esprit ait sa pente à la solitude et à une vie retirée. J'aspire au repos pour me disposer à la mort[21].

[21] *Correspondance*, Lettre à la mère Françoise de Saint-Bernard, 23 septembre 1660, p. 637.

14

LE LABEUR DE L'ÉDUCATION ET SON CONTEXTE

Les petites Indiennes et les filles des colons français à éduquer chrétiennement dans la jeune Église canadienne, telle a été la raison première des Ursulines de traverser l'Atlantique et de remonter le fleuve Saint-Laurent jusqu'à Québec. Les pensionnats de France et celui de Québec ne se ressemblent pas, sauf par ce même Esprit de Jésus Christ qui leur donne une âme.

Chez les Ursulines de la Nouvelle-France, des enfants très jeunes côtoient des adolescentes presque d'âge à se marier. Les parents amérindiens ne supportant pas de tristesse ou d'ennui chez leur progéniture, ils retirent alors leurs filles du pensionnat. D'autres enfants des bois se sauvent et retrouvent leur liberté. Mais la plupart des enfants s'attachent aux religieuses et profitent de l'instruction qu'elles reçoivent.

Malgré ses multiples tâches, Marie de l'Incarnation continue de raconter la vie canadienne dans sa correspondance et à informer des outils scolaires qu'elle prépare pour les besoins actuels et pour faciliter l'apprentissage des ursulines qui viennent partager le labeur de l'évangélisation. Elle écrit à son fils :

> J'avais l'hiver dernier trois ou quatre jeunes Sœurs continuellement auprès de moi pour assouvir le désir qu'elles avaient d'apprendre ce que je sais des langues du païs. Leur grande avidité me donnait de la ferveur et des forces pour les instruire de bouche et par écrit de tout ce qui est nécessaire à ce dessein.
> Depuis l'advent de Noël, jusqu'à la fin de février je leur ai écrit un *Catéchisme Huron*, trois *Catéchismes Algonquins*, toutes les prières Chrétiennes en cette langue. [...] Je vous assure que j'en étais fatiguée au dernier point, mais il fallait satisfaire des cœurs que je voyais dans le désir de servir Dieu dans les fonctions où notre Institut nous engage : Priez la divine bonté que tout cela soit pour sa plus grande gloire[1].

Marie de l'Incarnation est continuellement dévouée à ses compagnes de mission. Quelques années plus tard, elle révèle combien elle est donnée à cette œuvre d'instruction et à l'éducation chrétienne :

> J'ai écrit un gros livre Algonquin de l'histoire sacrée et de choses saintes, avec un *Dictionnaire* et un *Catéchisme Hiroquois*, qui est un trésor. L'année dernière, j'écrivis un gros *Dictionnaire Algonquin* à l'alphabet français, j'en ai un autre à l'alphabet Sauvage. Je vous dis cela pour vous faire voir que la bonté divine me donne des forces dans ma faiblesse pour laisser à mes sœurs de quoi travailler à

---

[1] *Correspondance*, Lettre à son fils, 10 août 1662, p. 678.

> son service pour le salut des âmes. [...] nous nous devons croire des servantes inutiles et de petits grains de sable au fond de l'édifice de cette nouvelle Église[2].
> Nous avons toutes les peines imaginables à subsister. Nous faisons de grands frais pour notre séminaire ; non qu'il y ait un grand nombre de filles sauvages sédentaires, mais parce qu'on nous donne plusieurs filles françaises pour l'entretien desquelles les parents ne peuvent fournir que peu de chose et d'autres ne peuvent rien donner du tout. Et ce qui est à remarquer, les Françaises nous coûtent sans comparaison plus à nourrir et à entretenir que les Sauvages[3].

Inculturation à la vie du pays

Le respect des coutumes amérindiennes et l'inculturation : une nécessité qui fait partie de la vie missionnaire. Par exemple, pour être correct, l'accueil d'un Indien comprend d'être nourri au moins comme un membre de la famille. Ils apprécient beaucoup la grasse « sagamité » composée de pruneaux noirs, de pain, de farine de pois ou de blé d'Inde, de chandelles de suif et du gros lard. Marie parle de soixante à quatre-vingts visiteurs à nourrir. L'envers de cette ouverture d'esprit et de cœur, c'est que les visites fréquentes et nombreuses grèvent le budget de la communauté.

---

[2] Voir *Correspondance*, Lettre à son fils, 9 août 1668, p. 801.
[3] *Correspondance*, Lettre à la mère Françoise de S. Bernard, 23 septembre 1660, p. 636.

L'attitude des religieuses à l'égard des enfants des bois impressionne leurs visiteurs. À notre époque, il y a de quoi surprendre ! Étonnant tout autant de constater jusqu'où l'Évangile de l'amour peut conduire l'exigence du service du prochain. « Laissez les enfants venir à moi, ne les empêchez pas, car le Royaume de Dieu est à ceux qui sont comme eux[4]. » Le Seigneur lave les pieds de ses Apôtres. À Pierre qui rouspète, Jésus dit : « Laisse-toi faire ! sinon tu ne pourras pas avoir part avec moi[5]. » « Comprenez-vous ? C'est un exemple que je vous ai donné. Ce que j'ai fait pour vous, faites-le vous aussi[6]. » Marie de l'Incarnation a bien saisi l'enseignement du Maître. La supérieure en tête, comme chef de corvée, les ursulines, Madame de la Peltrie, Charlotte Barré : tout ce beau monde venu de France se penche, s'agenouille et lave les petits enfants des bois, puis les sert à table : quel magnifique tableau ! Ouvrir les yeux et contempler cette réalité de l'histoire de notre Église et de notre pays, c'est écouter l'Évangile vécu en gestes d'amour du prochain.

> [...] de nous voir embrasser et caresser et mettre sur les genoux de petites orphelines sauvages, qu'on nous donnait graissées en un guénillon empesé de graisse sur une petite partie de leur corps et qui rendait une fort mauvaise odeur. Tout cela nous était un délice plus suave qu'on ne pourrait penser. Lorsqu'elles étaient un peu accoutumées, nous les dégraissions par plusieurs

[4] Mc 10, 14.
[5] Voir Jn 13, 8.
[6] Jn 13, 12 et 15.

jours, car cette graisse tient avec sa saleté comme colle sur peau ; puis nous leur donnions du linge et une petite soutane pour les garantir de la vermine dont elles sont bien garnies lorsqu'on nous les amène.
Par la bonté et miséricorde de Dieu, la vocation et l'amour qu'il m'a donnés pour les Sauvages sont toujours les mêmes. Je les porte tous dans mon cœur d'une façon pleine de suavité, pour tâcher, par mes pauvres prières, de les gagner tous pour le ciel, et je porte dans mon âme une disposition constante de donner ma vie pour leur salut, si j'en étais digne, en m'offrant en continuel holocauste à la divine Majesté[7].

Dans la vie communautaire des Ursulines, des exigences d'accommodements raisonnables avaient été appréhendées avant même le départ de la France :

> Nos Prélats et nos Supérieurs qui nous y envoyant, savaient bien qu'encore que nous n'eussions été que d'une seule Maison, il nous fallait beaucoup changer de nos Coutumes, qu'il ne nous eût pas été possible de garder dans un païs tout différent du nôtre, et avec des gens tout contraires en mœurs, en naturel, en coutumes, à ceux avec lesquels nous avons été élevées[8].

En 1645, dans une lettre à son fils, elle fait des rapprochements entre ce qui s'est passé à Québec et la situation vécue en France chez deux groupes de Bénédictins. En 1656, elle s'adresse à la supérieure de

---

[7] *Témoignage*, p. 222-223.
[8] *Correspondance*, Lettre à son fils, 3 octobre 1645, p. 267.

Tours pour apporter des éclaircissements aux religieuses qui avaient été mal informées sur les procédures et les motifs qui conduisirent à de tels accommodements. On retrouve les critères qui ont fondé les changements : la reconnaissance de Tours comme monastère fondateur, et le respect des coutumes selon les lieux d'origine des ursulines venues au Canada : Tours, Dieppe, Paris, Bourges et le respect de la présence des religieuses originaires de Québec.

> Pour vous parler simplement, c'est ici un pays de souffrances pour les Religieuses, sur tout pour celles qui ont des Charges, et le maniment des affaires. J'en ay toujours été chargée depuis que vous m'avez donnée à cette nouvelle Église ; et partant, il m'a toujours fallu être dans la croix. Mais il y faut expirer à l'imitation de notre Maître. [...] Ce n'est pas assez de faire la volonté de Dieu, il la faut faire avec amour dans l'intérieur et de bonne grâce extérieurement[9].

Une théologienne reprend habilement l'enracinement de la conception de l'apostolat chez Marie de l'Incarnation :

> Cette conception de la mission et de toute activité apostolique était déjà présente dans le cœur de Marie de l'Incarnation bien avant son départ pour la Nouvelle-France et même avant son entrée chez les Ursulines. Elle était déjà contenue en puissance dans l'événement de sa

[9] *Correspondance*, Lettre à la mère Françoise de S. Bernard, Tours, 23 septembre 1660, p. 637-638.

première conversion. Marie Guyart y expérimentait à la fois la faiblesse de son âme pécheresse et la radicale et absolue miséricorde d'un Dieu-Amour qui avait versé son sang pour le salut de son âme. Lavée « par le sang du Christ », elle était sortie de cet événement comme transformée en une « autre créature[10] ». Ainsi, on a pu dire de la vie mystique de Marie Guyart qu'elle a « commencé au pied de la croix ». [...]
Marie de l'Incarnation sait, par la foi et par l'expérience, que l'affaire du Verbe incarné est essentiellement la rédemption. Le sang versé par son divin Époux était pour le salut de toutes les âmes. [...] Épouse fidèle et aimante du Verbe incarné, elle doit travailler à faire connaître cette bonne nouvelle aux âmes qui ignorent qu'elles sont sauvées. Tel est le ressort spirituel de la dimension apostolique de toute vie chrétienne[11].

Arrivée de Mgr de Laval : un événement fondateur

L'Église du Canada attendait l'acte officiel de la nomination d'un évêque pour régulariser l'ensemble de son existence. Après quelques années de présence d'une Église canadienne du fait de l'engagement des missionnaires et des colons chrétiens, Rome nomme un évêque, Mgr François de Montmorency de Laval. Avec les imprévus

[10] Voir *Relation de 1654*, p. 71.
[11] Thérèse Nadeau-Lacour (dir.), *Il suffit d'une foi, Marie et l'Eucharistie, chez les Fondateurs de la Nouvelle-France*, France/Québec, Anne Sigier, 2008, p. 114.

de la traversée de l'Atlantique, on peut s'attendre à tout, même quand il s'agit d'un prélat. Parti en second, un bateau arrive le premier, soit le 16 juin 1659 avec, à son bord, Mgr de Laval[12]. Le bateau parti en premier arrive en second apportant la nouvelle de la nomination d'un évêque ; il accoste à Québec le 7 septembre 1659.

> Ce retardement a fait que nous avons plutôt reçu l'Évêque que la nouvelle qui nous le promettait. Mais ça été une agréable surprise en toutes manières. Car outre le bonheur qui revient à tout le païs d'avoir un Supérieur ecclésiastique, ce lui est une consolation d'avoir un homme dont les qualités personnelles sont rares et extraordinaires. [...] On n'attendait pas d'évêque cette année. Aussi n'a-t-il rien trouvé de prêt pour le recevoir quand il est arrivé[13].

Mgr de Laval loge d'abord chez les Hospitalières dans un appartement dépendant de l'hôpital ; il y demeure trois mois, avec des prêtres qu'il avait amenés. L'évêque emménage ensuite près des Ursulines, dans la maison de Madame de la Peltrie. « Nous en serons incommodées, parce qu'il nous faut loger nos pensionnaires dans nos appartements ; [...] nous porterons cette incommodité avec plaisir jusqu'à ce que sa Maison Épiscopale soit bâtie[14]. »

Après quelque temps, Marie de l'Incarnation a de bons commentaires à propos de Mgr de Laval : « C'est un homme de haut mérite et d'une vertu singulière. [...]

---

[12] Voir *Correspondance*, Lettre à son fils, septembre-octobre 1659, p. 613.
[13] *Ibid.*
[14] *Ibid.*, p. 614.

Je ne dis pas que c'est un saint, ce serait trop dire : mais je dirai avec vérité qu'il vit saintement et en Apôtre[15]. »

L'accueil des Hurons

> Les Hurons s'étant venus établir à Québec après que les Iroquois les eurent chassés de leur pays, cette charitable mère eut tant de compassion de leur exil et de leur extrême misère, qu'elle prit un grand nombre de leurs filles dans le séminaire, où elles avaient leur entretien et leur nourriture. Elle se chargea encore de nourrir une famille entière de huit ou de neuf personnes, laquelle s'était établie proche le monastère. Sa charité n'étant pas encore satisfaite, elle faisait entrer leurs femmes et leurs filles dans l'enclos du monastère une fois la semaine, où, après leur avoir enseigné les prières et les exercices de chrétien, elle leur distribuait l'aumône... Sur quoi, je ne laisserai pas passer une circonstance considérable qui a été remarquée par les religieuses qui assistaient à ces actions de charité : savoir, que le pain se multipliait en ses mains à mesure qu'elle le distribuait. Cela était tout visible, parce que n'ayant à chaque aumône que deux ou trois pains à donner à cinquante ou soixante personnes, il se trouvait que tous en avaient de très bons morceaux. Elle s'en apercevait bien elle-même. Aussi, disait-elle parfois en coupant ce pain : « Je pense que Dieu le fait multiplier en faveur de ces pauvres gens et pour les tirer de la nécessité[16]. »

[15] *Correspondance*, Lettre à son fils, septembre-octobre 1659, p. 613.

[16] Dom Claude Martin, *Écrits spirituels et historiques. La Relation de 1654*, t. II, p. 318-324 ; 336.

Ceux des Hurons qui purent éviter la persécution se retirèrent à Québec sous la protection des Français qui leur assignèrent un canton où ils s'assemblèrent et firent un petit peuple sous le titre de Colonie des Hurons. Les Ursulines signalèrent leur charité et leur zèle en cette rencontre, leur donnant une terre qu'elles avaient dans l'Île d'Orléans afin de s'y retirer et de se mettre à couvert des courses de leurs ennemis qui les persécutaient encore afin de les exterminer entièrement s'ils eussent pu[17].

La présence dévastatrice des Iroquois

Des historiens ont consigné les escarmouches et les guerres que les Iroquois déclenchèrent en rompant la paix de 1653. Leur massacre et les dangers dans lesquels toute la colonie est alors plongée ne mettent personne à l'abri ! Des informations transmises en France sèment l'inquiétude.

Dans une longue lettre à son fils, septembre-octobre 1659, Marie de l'Incarnation lui raconte les périls contre lesquels les moyens sont plus que limités.

> Vous m'étonnez de me dire que nos Mères nous voulaient rappeler : Dieu nous préserve de cet accident. Si nous n'avons pas quitté après notre incendie et pour toutes nos autres pertes, nous ne quitterons pas pour les Hiroquois, à moins que tout le pays ne quitte ou qu'un Supérieur nous y oblige, car nous sommes filles d'obéissance et il faut la préférer à tout[18].

---

[17] *Ibid.*, p. 541.

[18] *Correspondance*, Lettre à son fils, septembre-octobre 1659, p. 615.

Si jamais les ennemis avaient le dessus ? Marie de l'Incarnation répond : « Ne serions-nous pas heureuses de finir nos vies au service de notre Maître et de les rendre à celui qui nous les a données ? Voilà mes sentiments que vous ferez savoir à nos Mères, si vous le jugez à propos[19]. »

Afin d'éviter cette anxiété à ses Sœurs de Tours, elle les informe par une lettre à la supérieure :

> [...] des Hiroquois nous ont bien taillé de l'ouvrage au mois de May et de Juin. J'ai cru être obligée de vous mander dans la sincérité comment les choses se sont passées, pour prévenir ce que l'on vous aurait pu écrire, et qui vous aurait pu donner sujet de craindre pour nous à cause de votre bon cœur pour vos filles. Cet orage est passé lorsqu'on croyait tout perdu ; de sorte qu'on fait en paix les moissons que l'on croyait devoir être ravagées par cet ennemi[20].

Le tremblement de terre

Un très long et détaillé compte rendu rédigé pour Claude par sa mère, dans une lettre datée d'août-septembre 1663, a été conservé dans la *Correspondance*[21]. Il rapporte, entre autres détails, les effets de la secousse,

---

[19] *Ibid.*

[20] *Correspondance*, Lettre à mère Françoise de Saint-Bernard, 23 septembre 1660, p. 636.

[21] *Ibid.*, p. 686-699.

les réactions de la population et ses interprétations et la description des bouleversements naturels.

Le 5 février 1663, vers les cinq heures et demie du soir, un fort séisme d'un très grand rayon secoue le sol et le fleuve et il est suivi, sur une durée de six mois, de plusieurs autres secousses. Dans le temps, la population n'avait pas l'accès si éclairant de l'échelle de Richter. La frayeur s'est généralisée. De plus, les références religieuses, plutôt fondées sur la crainte, incitaient à considérer le cataclysme comme une punition divine.

> Je ferme cette relation le vingtième du même mois, sans savoir à quoi se termineront tous ces fracas, car les tremblements continuent toujours. Mais ce qui est admirable parmi des débris si étranges et si universels, nul n'a péri, ni même été blessé. C'est une marque toute visible de la protection de Dieu sur son peuple qui nous donne un juste sujet de croire qu'il ne se fâche contre nous que pour nous sauver. Et nous espérons qu'il tirera sa gloire de nos frayeurs par la conversion de tant d'âmes qui étaient endormies dans leurs péchés et qui ne se pouvaient éveiller de leur sommeil par les simples mouvements d'une grâce intérieure[22].

Une autre lettre suit de peu. Des effets tangibles incitent à penser que la crainte peut être parfois le commencement de la sagesse[23].

---

[22] *Correspondance*, Lettre à son fils, juillet 1663, p. 699.
[23] Ps 111, 10.

Les épouvantables tremblements de terre que l'on a expérimentés dans tout le Canada contribuent beaucoup à l'union des personnes, car comme ils tiennent tout le monde dans la crainte, et dans l'humiliation, tout le monde demeure aussi dans la paix. [...] Au même temps où Dieu a ébranlé les montagnes et les rochers de marbre de ces contrées, on eût dit qu'il prenait plaisir à ébranler les consciences ; les jours de carnaval ont été changés en des jours de pénitence et de tristesse[24].

[24] *Correspondance*, Lettre à son fils, septembre-octobre 1663, p. 711.

15

REGARD CONTEMPLATIF SUR LE CHEMIN PARCOURU

Depuis l'arrivée des Ursulines et des Hospitalières en 1639, l'implantation au Québec des Communautés religieuses et la vie des colons et de leur famille ont été marquées par des croix. Ainsi les exigences de l'acclimatation, la lourde épreuve de l'incendie du monastère en 1651, les pénibles conséquences des guerres, les tortures mortelles infligées aux Martyrs canadiens : autant d'épreuves qui ont façonné des cœurs déjà généreux. Par l'annonce de la Parole de Dieu et le témoignage d'une vie de foi et de charité fraternelle, les missionnaires ont déposé en terre canadienne une semence qui porte déjà des fruits à saveur d'Évangile.

Aussi, plus de trente ans après son arrivée, Marie de l'Incarnation contemple la croissance de la mission. Elle en fait part à l'ancien professeur de Claude, le père Poncet, jésuite missionnaire au Canada, mais alors en France.

> Votre Collège est florissant, et notre Séminaire qui n'est qu'un grain de sable en comparaison, fournit d'excellents sujets. Vous avez vu des petites filles à qui nous avons depuis donné l'habit, et d'autres à qui nous sommes sur le point de le donner. [...] Vous nous avez vu trois Religieuses faire le voyage, [...] aujourd'hui nous sommes vingt, et nous en demandons encore en France[1].

Oui, des progrès sont tangibles ! Pour ce faire, le grain mis en terre se transforme au creux d'un terreau parfois généreux, parfois hostile, sur un chemin semblable à celui du Maître de la Vigne.

> Dieu permet qu'arrivent plusieurs croix du dehors, à cette fin que de tout point soit accompli ce que dit saint Paul : « Il les a fait conformes à l'image de son Fils[2]. » Et je le répète, il faut passer par de grands travaux intérieurs et extérieurs qui épouvanteraient une âme si on les lui faisait voir avant que de les expérimenter[3].

Sa relecture prend le ton d'une croyante qui contemple sa vie à l'heure du couchant. Elle s'incline devant l'amour que son Bien-Aimé lui porte : « Tu m'as séduite et je me suis laissé séduire[4]. » Des références à l'Écriture sainte lui donnent les mots pour divulguer à quelle source elle s'est abreuvée.

---

[1] *Correspondance*, Lettre au père Poncet, Jésuite, 6 octobre 1667, p. 783.

[2] Rm 8, 29.

[3] *Témoignage*, p. 270.

[4] *Ibid.*

Je ressens que tout ce que Jésus a dit a esprit et vie en moi[5]. Surtout, mon âme expérimente qu'étant dans l'intime union avec lui, elle y est de même avec le Père Éternel et le Saint-Esprit, concevant par cette impression la vérité et certitude de ce que cet adorable Seigneur et Maître répondait à Philippe : « Qui me voit, voit mon Père ; comment dis-tu, montre-nous le Père ? Ne croyez-vous point que je suis en mon Père et le Père en moi[6] ? » Aujourd'hui, ce qui a été imprimé en mon âme a été les paroles de Notre Seigneur : « Je suis la Vigne et mon Père est le Vigneron ; il taillera tout le sarment qui ne porte pas de fruit en moi, et il émondera celui qui porte fruit, afin qu'il en porte davantage[7]. » Cela me signifiait les raisons des divers états de purification et l'importance qu'il y a d'être uni à notre divine Vigne, [...] pour n'avoir vie que par sa sève qui est son divin Esprit[8].
Il est à remarquer que l'Esprit qui m'a si amoureusement conduite a toujours tendu à une même fin et porté mon âme à la pratique des vertus, mais toujours pour tâcher de suivre l'esprit de l'Évangile[9].

Sa contemplation devient désir et prière

J'interrogeai le Seigneur et lui demandai : « Qu'ont fait vos Saints, ô Amour, pour vous obliger de les remplir de votre Esprit, et de les mettre en état de produire des

---

[5] Voir Jn 6, 63.
[6] Jn 14, 9 ; *Témoignage*, p. 271.
[7] Voir Jn 15, 1-2.
[8] *Témoignage*, p. 272.
[9] *Ibid.*, p. 274.

fruits de charité, je veux dire ces grandes actions qui ne sont propres qu'aux âmes héroïques ? S'il ne faut que répandre tout son sang, me voici, je suis prête de donner tout le mien. Mais non, c'est qu'ils étaient plantés et enracinés dans l'amour, et par ce moyen, ils étaient remplis de l'amour, comme les arbres qui étant plantés et enracinés dans la terre, sont remplis de son humeur et de sa sève. Je veux demeurer éternellement plantée et enracinée en vous, parce que c'est vous qui êtes le véritable et parfait Amour. Par ce moyen, je serai remplie de votre amour, je serai remplie de votre sève, je veux dire de votre grâce, qui me fera produire les fruits que vous demandez de moi[10]. »

Pour Marie de l'Incarnation, la vie selon l'Évangile s'incarne dans le quotidien de la vie. Chez elle, nous voyons une authentique mystique alterner de la responsabilité de supérieure à celle d'économe. Elle passe de l'animation de la vie spirituelle de leur communauté au soutien des ursulines nouvellement arrivées de France tout en s'occupant de pourvoir aux besoins matériels de la maisonnée avec si peu d'argent !

Toute spirituelle qu'elle est, elle se rend au parloir pour toutes les personnes qui s'y présentent : les officiers du régiment de Carignan[11], les commis de la traite des fourrures[12], des colons qui ont le mal du pays et qui encore ! Accompagnatrice spirituelle, femme de bon conseil

---

[10] Dom Guy-Marie Oury, *Marie de l'Incarnation, 1599-1672*, t. II, p. 51.

[11] *Correspondance*, Lettre à son fils, 14 août 1656, p. 583.

[12] *Correspondance*, Lettre à son fils, 10 août 1662, p. 678.

et éducatrice dévouée, elle est consultée tout autant par les « grands » que par les « petites gens », des visiteurs de diverses nationalités : amérindiens, français, anglais, irlandais et depuis peu de temps, québécois de souche.

Quand elle vivait à Tours, Marie de l'Incarnation suivait en esprit les missionnaires qui annonçaient l'Évangile dans les pays lointains. De son cloître à Québec, elle continue de les accompagner par sa prière, mais aussi en recevant au parloir des missionnaires en quête de conseil spirituel, d'encouragement, ou qui viennent tout simplement lui raconter leur expérience d'évangélisation.

Elle attribue cette capacité de tout mener à terme à une présence de Dieu à elle et d'elle à Dieu. Sa vie se tisse ainsi de cette fidélité mutuelle : l'amour toujours fidèle de Dieu et son amour de femme et de religieuse ancrée en Jésus Christ. « L'oraison mentale sert beaucoup, même pour la conduite de la famille et des affaires domestiques. Car plus on s'approche de Dieu, plus on voit clair dans les affaires temporelles, et à la faveur de ce flambeau, on les fait beaucoup plus parfaitement[13]. »

Et depuis le début de sa vie spirituelle jusqu'à maintenant, la Parole de Dieu continue de la sculpter comme le potier, son argile[14]. Par sa foi ferme et engagée, elle est « pierre vivante », un pilier de l'Église en devenir. Tout autant mère universelle que femme d'affaires, toute rencontre lui est occasion de vivre son idéal missionnaire.

---

[13] *Témoignage*, p. 298.
[14] Voir Rm 9, 21.

Portant toujours en son cœur une grande tendresse pour son fils, elle profite des rares occasions de le rejoindre par-delà les mers. Comme elle connaissait bien le père Bressani qui l'avait aidée dans l'étude de la langue huronne, à son retour définitif en France, elle lui demande de rendre visite à son fils. Elle juge bon de ménager la sensibilité de Claude en le préparant à cette rencontre.

> Vous verrez un martyr vivant, [...] Sans faire semblant de rien, regardez ses mains ; vous les verrez mutilées et presque sans aucun doigt qui soit entier. Il a eu encore cette année trois coups de flèche à la tête qui ont pensé faire sa couronne et la fin de ses travaux. Il a un œil dont il ne voit presque point à cause des coups. [...] Il m'a promis de vous visiter[15].

Maladie et vieillissement

Si la grave maladie de 1645 avait ralenti un certain temps la missionnaire, à peine remise sur pied, elle reprenait ses activités. Mais à partir de 1654, Marie de l'Incarnation commence à subir davantage les atteintes à sa santé et le poids des années. Toutefois à ce sujet, elle rassure son « très-cher et bien-aimé Fils ».

> Je ne me sens pas encore beaucoup des incommodités de l'âge, sinon que ma vue s'affaiblit. Pour la soulager j'use de lunettes avec lesquelles je vois aussi clair qu'à l'âge

---

[15] *Correspondance*, Lettre à son fils, 30 octobre 1650, p. 406.

de vingt-cinq ans ; elles me soulagent encore d'un mal de tête habituel, qui en est bien diminué. Je suis aussi devenue un peu replète[16].
L'extrémité où je me suis trouvée dans ma maladie m'a fait concevoir plus que jamais, qu'il faut travailler pour Dieu, et pratiquer fortement la vertu quand on est en santé, surtout qu'il faut conserver sa conscience nette, et être humble[17].

En 1664, sa santé se détériore davantage et ses souffrances deviennent presque continuelles. Elle reçoit le sacrement des malades. Douée d'une forte constitution, quelques mois plus tard, elle reprend souffle.

Je reçus l'année dernière une lettre de confiance de votre part, à laquelle je ne pus répondre, à cause d'une grande maladie, dont il a plu à la divine Bonté de me visiter. Elle a duré près d'un an, et je n'en suis pas encore bien guérie, mais je me porte beaucoup mieux que je n'ai fait. [...] toutes les bonnes âmes de ce pais faisaient à Dieu des prières et des neuvaines pour ma santé. L'on me pressait de la demander avec elles, mais il ne me fut pas possible de le faire, ne voulant ni vie ni mort que dans le bon plaisir de Dieu. [...] La Mère de saint-Athanase, notre assistante, quoiqu'elle fût chargée à mon défaut de toute la maison, voulut être mon Infirmière : et ni elle ni aucune de mes Sœurs, quoiqu'elles me veillassent jour et nuit avec des fatigues incroyables, ne fut par la miséricorde de Dieu ni malade ni incommodée. [...] À présent je me porte beaucoup mieux : la fièvre m'a quittée, sinon qu'elle me

[16] *Correspondance*, Lettre à son fils, 18 octobre 1654, p. 550.
[17] *Correspondance*, Lettre à son fils, 27 juillet 1657, p. 589.

reprend comme font mes douleurs, [...] il me reste une grande faiblesse [...] je marche dans la maison à l'aide d'un bâton. J'assiste aux observances, excepté à l'Oraison qui se fait à quatre heures du matin, parce que mes maux me travaillent un peu en ce temps-là[18].

En juin 1666, Claude avait été nommé prieur à Rouen[19]. Est-ce le déménagement et ses nouvelles responsabilités qui l'empêchent d'écrire à sa mère ? Ou bien la lettre s'est-elle perdue en mer ? La maladie et le vieillissement semblent rendre vulnérable celle qui aime tendrement son fils.

Un navire qui doit partir demain me porte à vous écrire ce mot, quoique je n'aie encore reçu aucune de vos lettres. [...] Vous êtes à présent au Monastère de Bonne-Nouvelle de Rouen. Il faut servir Dieu où il nous appelle, et il me suffit de savoir que c'est la voix de Dieu et non votre propre choix qui vous a appelé en ce lieu-là pour être satisfaite. Cette nouvelle, qui m'est venue par hasard, m'a ôté de la peine où j'étais à votre égard. N'en est-ce pas une bien grande de voir quatre vaisseaux arrivés il y a assez longtemps, et deux autres qui viennent d'arriver, sans rien apprendre de la personne qui m'est la plus chère dans le monde ? Cela me donnait sans doute de l'inquiétude, quoique je vous voie continuellement en Dieu[20].

[18] *Correspondance*, Lettre à son fils, 29 juillet 1665, p. 744-745.
[19] Voir *Correspondance*, note 1, p. 793.
[20] *Correspondance*, Lettre à son fils, 29 juillet-19 octobre 1667, p. 790.

Sachant sa mère gravement malade, Claude avait-il manifesté de l'inquiétude, d'autant plus que de l'autre côté de l'Atlantique, il ne peut en rien la secourir ? Elle lui envoie un « bulletin de santé » détaillé. Et pour rassurer au mieux son très cher fils, elle ajoute une énumération des travaux qu'elle a encore l'énergie d'exécuter.

> Voici la réponse à votre troisième lettre. [...] Vous croyez que je vais mourir. Je ne sais quand arrivera cet heureux moment qui me donnera toute à notre divin Sauveur. Ma santé est en quelque façon meilleure que les années dernières, mes forces néanmoins étant extrêmement diminuées, il faudrait peu de chose pour m'emporter. J'ai jeûné le Carême et les autres jeûnes de l'Église grâce à Notre Seigneur. Je chante si bas qu'à peine me peut-on entendre, mais pour réciter à voix droite j'ai encore assez de force. [...] J'ai peine de me tenir à genoux durant une messe ; je suis faible en ce point, et l'on s'étonne que je ne le suis davantage eu égard à la nature du mal qui m'a duré si longtemps avec une grande fièvre[21].

Marie de l'Incarnation continue d'édifier ses compagnes, aussi l'une d'entre elles écrit à un Jésuite :

> Le zèle de la gloire de Dieu n'était nullement diminué en elle avec le temps, mais plutost il s'était tellement accru, que c'était comme une fournaise qui la consumoit. Ce fut ce même zèle qui lui fit entreprendre cet hyver, nonobstant son âge, de faire leçon tous les jours des langues sauvages, afin que cette science s'immortalisât

[21] *Correspondance*, Lettre à son fils, 9 août 1668, p. 800.

> dans cette maison, pour l'instruction des filles de cette grande Amérique. Son zèle pour la décoration des autels n'étoit pas moins admirable : elle n'épargnoit point sa peine pour contribuer quelque chose à la gloire du temple de Dieu. Notre église en sera une marque éternelle, car elle en a fait toutes les peintures et les dorures dont le retable est enrichi, et cela nonobstant les autres emplois considérables qu'elle a toujours eus en cette saison[22].

La responsabilité du service de supérieure de la communauté consistait en un mandat de trois ans renouvelable une fois. Marie de l'Incarnation a assumé ce service pendant trois mandats, alternant avec le service d'économe. Malgré une santé lourdement hypothéquée, sa générosité ne se dément pas. Elle se dépense désormais comme assistante de la nouvelle prieure et à la formation des novices. Ce choix des religieuses se reporte encore sur Marie de l'Incarnation. Les religieuses sont peu nombreuses et l'expérience canadienne de leur sœur et ses dons personnels la gardent excellente candidate.

Fidèle à elle-même jusqu'à la fin, Marie de l'Incarnation garde le cap sur la raison de son choix des Ursulines. Le but de sa vie se révèle jusqu'à quelques mois avant sa mort, alors qu'elle écrit à une ursuline de Tours :

> Il faut que je vous confesse que j'aimerais la vie, si je pouvais aider en quelque chose les âmes rachetées du Sang de Jésus Christ, et si j'en étais capable, je souhaiterais

[22] *Correspondance*, de Québec, Lettre XXXVIII, été 1672, de la mère Marguerite de Saint-Athanase au père Paul Ragueneau, Jésuite, Appendice, p. 1025.

> vivre jusqu'au jour du jugement pour un si noble emploi. [...] Car n'est-ce pas une chose insupportable qu'il y ait encore des âmes qui ignorent le Dieu que nous servons ? Joignez-vous à moi, mon intime Mère, pour lui gagner des cœurs, puisqu'il les a tous créés capables de son amour[23].

Les Amérindiennes continuent d'occuper une grande place dans l'existence de Marie de l'Incarnation. Toute sa tendresse apparaît quand elle décrit avec admiration les comportements d'une petite Algonquine de six ans. Catherine, dans une maladie mortelle, manifeste son grand courage et sa foi. Hydropique, les médecins l'ouvrent deux fois par jour. Elle regarde et souffre l'intervention en souriant. « Mon Dieu, je vous l'offre », dit l'enfant. Un médecin venu de France avoue qu'il n'a jamais vu une telle patience ni une piété semblable. « Elle demandait pardon aux infirmières lorsqu'elle s'était échappée de faire quelque plainte. » On la juge capable de recevoir les sacrements. « Peu de moments après, cette petite ange expira[24]. »

Voyons encore la tendresse qu'elle garde à sa nièce, Marie Buisson, devenue ursuline à Tours : « Ah ! que j'ai de désir que vous deveniez sainte, aux dépens de tout ce que je pourrais souffrir ! Quand je fais la réflexion que j'ai été la première qui vous ai donnée à Dieu quand vous êtes venue au monde[25]. »

---

[23] *Correspondance*, Lettre à une religieuse ursuline de Tours, septembre-novembre 1671, p. 934.

[24] *Correspondance*, Lettre à la mère Cécile de Saint-Joseph, supérieure des Ursulines de Mons, 24 août 1671, p. 924.

[25] *Correspondance*, Lettre à sa nièce, 6 octobre 1671, p. 926.

De son abbaye, son fils n'en finit plus d'insister pour obtenir des confidences de sa mère. L'année précédant son décès, une réponse vient à Claude. Elle écrit alors très longuement à propos de ce qu'elle a saisi du mystère de la Trinité dans les ravissements qu'elle a expérimentés.

> Mon très cher Fils. Puisque vous désirez que je vous donne quelque éclaircissement sur ce que je vous ai dit dans mes écrits touchant le mystère de la très-sainte Trinité, je vous diray que lorsque cela m'arriva, je n'avois jamais été instruite sur ce grand et suradorable mystère. [...] Cela m'arriva par une impression subite qui me fit demeurer à genoux comme immobile. [...]
> Si cette expérience est d'amour, comme celui que j'aime n'est qu'amour, les actes qu'il me fait produire sont tous d'amour, et mon âme aimant l'amour, conçoit qu'elle est toute amour en lui : en voilà l'explication. Je voudrais me pouvoir mieux expliquer, mon très cher fils, mais je ne puis. Si vous voulez quelque chose de moi, je ne manquerai pas de vous y répondre, si je vis, et si je suis en état de le faire. Si j'étais auprès de vous mon cœur se répandrait dans le vôtre, et je vous prendrais pour mon Directeur[26].

Puisque vous le désirez ! Puisque vous le voulez ! Puisque vous me le demandez ! Claude, la personne qu'elle a de plus chère au monde ! Quand sa mort surviendra, cette fois, elle le quittera définitivement. Alors comment pourrait-elle ne pas se rendre jusqu'à la limite de ses forces pour combler les désirs de son fils ?

---

[26] *Correspondance*, Lettre à son fils, 8 octobre 1671, p. 928 et 931.

En France, Claude est devenu un moine estimé de ses confrères qui lui confient des tâches importantes en tant que supérieur d'abbaye, puis d'assistant du supérieur général. Mais ce qui importe pour sa mère, c'est qu'il soit un fervent chercheur de Dieu, un fidèle serviteur du Maître et de son Église, un saint.

De son côté, Claude reconnaît en Marie de l'Incarnation une mère, sa mère ! Avec la plus entière confiance, il consulte celle dont l'expérience spirituelle se dispense pour lui dans des conseils de bon jugement et des éclairages qui répondent aux questionnements de cet enfant devenu grand théologien.

Marie Guyart, Madame Martin, la mère de dom Claude, Marie de l'Incarnation : une existence d'une qualité rare, cultivée de l'enfance à la vieillesse. Elle gravit le sommet de son union à Dieu avec une détermination peu commune, religieuse consacrée de tout son amour et de toutes ses forces à son Époux et à ses intérêts. Elle stimule ses proches à prier intensément en ce sens : le salut du monde, la Seigneurie du Christ sur toute la création visible et invisible.

> Prenez en main la cause de Jésus Christ, et ne donnez point de trève au Père éternel qu'il ne vous ait accordé un bon nombre de ces pauvres âmes détachées du Royaume de son Fils. Demandez-les-lui par ces paroles, et par les promesses qu'il lui a faites disant : « Demandez-moi, et je vous donneray toutes les nations pour héritage[27]. »

---

[27] Voir Ps 2, 8 ; *Correspondance*, Lettre à l'une de ses sœurs, 30 août 1653, p. 503-504.

Depuis le moment où le Père le lui a enseigné, par le Cœur de Jésus, sa prière fait le tour du monde pour accompagner les missionnaires. Son désir de donner effectivement sa vie en terre de mission s'effectue dans ce pays qui lui a été montré, le Canada, notre pays. Encore et toujours, elle consacre sa vie pour aimer son Dieu et toutes les personnes dont elle se fait proche.

16

MISSION ACCOMPLIE

Madame de la Peltrie avait donné sa fortune pour la fondation des Ursulines à Québec ; elle voit enfin un de ses rêves se réaliser : sa petite église se construit de 1656 à 1658. Elle l'avait tant désirée ! En 1667, Mgr de Laval en fait la dédicace sous la protection ou invocation de saint Joseph[1].

À son sujet, Marie de l'Incarnation écrit au père Poncet : « Madame notre fondatrice court à grands pas dans la voie de la sainteté. Je suis ravie de la voir, et si vous la voyiez vous le seriez comme moi[2]. »

Madame de la Peltrie était de trois ou quatre années plus jeune que Marie de l'Incarnation. Elle aussi a souffert des difficultés et des épreuves rencontrées au pays et elle a partagé le travail des Ursulines auprès des enfants de la jeune colonie. Ses énergies et sa santé se sont usées au service de l'Église canadienne.

En soutenant financièrement la fondation et par sa participation aux travaux domestiques et aux soins des

---

[1] Voir Guy-Marie Oury, *Marie de l'Incarnation, 1599-1672*, t. II, p. 568.

[2] *Correspondance*, 6 octobre 1667, p. 784.

enfants, Madame de la Peltrie, dans une large mesure, a contribué à l'établissement d'une œuvre qui a traversé les siècles. La communauté et l'École des Ursulines, sur ce promontoire qu'est le cap Diamant, demeurent encore au service de la population de la ville de Québec.

D'une façon imprévisible, une maladie mortelle l'emporta rapidement. En effet,

> J'oubliais de vous dire que la maladie de notre chère Madame a été une fièvre continue avec mal de côté qui a paru être une espèce de pleurésie[3]. La maladie de Madame de la Peltrie a duré sept jours, pendant ce temps, elle a reçu tous les sacrements et a fait et signé un testament en présence de plusieurs personnes considérables. [...] par le dit testament elle nous fait héritières de tous ses biens et de tout ce qui lui appartient dont elle peut disposer ; et sur ce qui doit nécessairement retourner à Messieurs ses parents et héritiers et qui le demeurent, elle les oblige à payer les dettes qu'elle a en France, comme elle nous charge de satisfaire ce qu'elle peut devoir dans ce pays de la Nouvelle France. [...]
> Madame de la Peltrie, notre très honorée fondatrice décéda saintement le dix-huit novembre, mil six cent soixante et onze, âgée de soixante-neuf ans. Elle avait passé trente-deux ans en ce pays, et presque toujours en notre monastère, dans une parfaite observance de notre sainte règle, quoiqu'elle n'y eut aucune obligation n'étant pas religieuse[4].

---

[3] *Correspondance*, Marguerite de Saint-Athanase, supérieure, à Guillaume Laudier, président des Élus d'Alençon, 16 mai 1672, Appendice, p. 1017.

[4] *Correspondance*, mère Marguerite de Saint-Athanase aux communautés d'Ursulines de France, 1er mai 1672, Appendice, p. 1010.

Marie de l'Incarnation au soir de sa vie

Dans un entier abandon à Dieu, il convient toujours à Marie de l'Incarnation d'affirmer jusqu'à la fin : « Je sais en qui j'ai mis mon espérance, je ne serai pas déçue[5]. »

> Elle fut entièrement arrêtée la nuit du quinze au seize janvier de l'année 1672, et le mal croissant toujours, avec une violence très extrême, au cinquième jour de sa maladie, les médecins jugèrent qu'il n'y avait plus rien à espérer et qu'il lui fallait donner ses derniers sacrements. [...] Toute la communauté étant plongée dans un abîme d'amertume, elle seule était dans une joie indicible de s'unir à Dieu dans ce divin sacrement et dans l'espérance de le posséder bientôt à découvert. [...] Elle demanda pardon à son supérieur, au Révérend P. Lalemant, son directeur ; puis, se tournant vers sa Supérieure et la communauté, elle les remercia de toutes leurs charités en son endroit. [...]
> Ses Supérieurs voulant qu'elle demandât sa santé, elle obéit simplement, lui disant avec sa confiance et son humilité ordinaire : « Mon Seigneur, si vous voulez encore vous servir de moi, chétive créature, dans cette communauté, je ne refuse point le travail, votre volonté soit faite[6]. »
> Mais bientôt, elle parut se rétablir. [...] Pendant tout le carême suivant, elle se porta assez bien. [...] Elle assistât encore le Vendredi saint à la Passion et à l'Adoration de la Croix, à laquelle elle devait s'attacher de nouveau

---

[5] Ps 69, 7.

[6] *Correspondance*, de Québec, mère Marguerite de Saint-Athanase aux communautés d'Ursulines de France, 1er mai 1672, Appendice, XXXI, p. 1012.

ce jour même par le retour de tous ses maux, afin d'y mourir avec son Sauveur[7].
Cette longue et effroyable maladie qu'elle avait eue il y avait huit ans, lui avait laissé deux infirmités considérables, une amertume dans la bouche et une faiblesse dans les côtes qui faisait que son corps n'avait quasi plus de soutien, sa vie était une perpétuelle langueur, mais son courage surmontait pour assister à tous les exercices de la communauté avec autant d'exactitude que la plus fervente Novice eût pu faire dans une santé parfaite[8].
Les petites sauvages étant le plus agréable objet de son cœur, elle les voulut voir souvent pendant sa dernière maladie, et à chaque fois elle leur donnait sa bénédiction avec des tendresses de mère. « Tout est pour les sauvages ; je n'ai plus rien à moi, et je ne puis plus disposer de rien[9]. »

Ces enfants des bois, Marie de l'Incarnation les avait déjà affectueusement prénommées « les délices de nos cœurs[10] ».

Quelque pauvreté que nous eussions, elle n'a jamais refusé, ni souffert qu'on refusât l'entrée de notre maison à aucune des filles sauvages, soit grandes, soit petites quoique nous eussions aucune pension ou aumône pour leur entretien : lorsqu'elle était au lit de la mort, ayant appris qu'il s'en présentait une, elle pria encore de la

---

[7] *Témoignage*, p. 330.

[8] Dom Claude Martin, *La vie de la vénérable Mère Marie de l'Incarnation*, p. 725.

[9] *Ibid.*, p. 735.

[10] *Correspondance*, Lettre à la mère Marguerite de Saint-François-Xavier, supérieure des Ursulines de Dijon, 27 septembre 1670, p. 903.

recevoir, bien que nous eussions été chargées d'un grand nombre, et encore de pauvres petites françaises. En un mot, elle était infatigable pour procurer leur bonheur éternel, et celui de tous les sauvages de ces contrées ; elle les avait toujours dans la pensée et dans le cœur, et elle nous a fort recommandé en mourant de faire tout ce que nous pourrions pour eux[11].

Dieu prolongea son temps de pèlerinage afin de donner moyen à son zèle de se satisfaire, souffrant pour l'amplification de la foi en ce bout du monde par la conversion des barbares de ces contrées. [...] Cette aimable Mère se conjouissait souvent avec Notre Seigneur de l'avantage qu'il lui donnait de l'attacher avec lui à sa croix dont elle faisait une telle estime qu'elle n'aurait pas changé son état pour tous les empires de la terre[12].

La Supérieure, qui était toujours à son côté, la fit ressouvenir qu'elle laissait dans le monde un fils qui était fort éloigné d'elle, et que si elle voulait lui recommander quelque chose, elle pouvait se servir d'elle pour lui faire savoir ses dernières volontés. À ces paroles, la nature qui n'oublie jamais ses sentiments, surtout quand ils sont sanctifiés par ceux de la grâce, elle s'attendrit, et dans cette tendresse elle lui dit qu'elle était contente de l'état où il était, et qu'elle la priait seulement de lui faire savoir qu'elle l'emportait en son cœur dans le Paradis, où elle solliciterait fortement sa parfaite sanctification[13].

---

[11] *Correspondance*, Lettre de la mère Marguerite de Saint-Athanase à dom Claude Martin, 8 août 1672, Appendice, p. 1021.

[12] *Correspondance*, Lettre de la mère Marguerite de Saint-Athanase aux communautés d'Ursulines de France, 1er mai 1672, p. 1010.

[13] *Ibid.*, p. 730-731.

Elle reçut l'Extrême Onction avec de nouvelles joies qui ressemblaient à celles du Paradis. [...] Se tournant vers la Supérieure et la Communauté, elle les remercia de leurs charités en son endroit et leur demanda mille excuses de toutes les peines qu'elle leur avait données dans la maladie[14].

Elle ouvrit doucement les yeux qu'elle avait tenu fermés depuis quelques heures, comme pour dire un dernier adieu à ses chères Sœurs et à toute la compagnie, puis elle les referma pour ne plus les ouvrir à la terre ni aux créatures. Enfin sur les dix heures du soir, chargée d'années et de mérites, sans faire aucune violence, et jetant seulement deux petits soupirs, elle rendit sa belle âme entre les bras de Celui après lequel elle avait soupiré toute sa vie[15].

Après sa mort, on retira de son cou la chaîne de fer et on l'envoya à son fils. Elle lui en avait parlé précédemment :

Je porte au cou une petite chaîne de fer, il y a plus de vingt et trois ans, pour marque de mon esclavage[16] à la sainte Mère de Dieu. Je n'y ai pas d'autre pratique, sinon en la baisant de m'offrir pour esclave à cette divine Mère[17].

La maladie de Marie de l'Incarnation a duré trois mois et demi, Dieu l'ayant ainsi voulu pour donner à ses filles un

[14] Dom Claude Martin, *La vie de la vénérable Mère Marie de l'Incarnation*, p. 728-729 et 735.

[15] *Ibid.*, p. 736.

[16] Esclavage : pratique chère aux spirituels du XVIIe siècle. *Correspondance*, note 9, p. 663.

[17] *Témoignage*, p. 311. *Correspondance*, Lettre CXCV, à son fils, 16 septembre 1661.

long exemple d'une belle mort, comme elle leur en avait donné d'une belle vie l'espace de plus de trente-deux ans. [...] Elle a souffert les douleurs de sa maladie avec une patience et constance qui passaient le commun, et qui ont tiré l'admiration de ceux et celles qui l'assistaient. Son fond d'union avec Notre Seigneur était inaltérable [...]. Se témoignant toute prête à vivre et à mourir, souffrir tout et autant qu'il plairait à sa divine Majesté. [...] Son visage après sa mort et pendant tout son service parut si agréable et si dévot, si plein de douceur et de majesté, que Monsieur le gouverneur et Monsieur l'intendant qui assistèrent à ses obsèques, et sur tout Messieurs les ecclésiastiques ne purent se tenir de presser qu'on en fit le portrait.

[...] La mémoire de la défunte sera à jamais en bénédiction dans ces contrées ; et pour mon particulier, j'ai beaucoup de confiance en ses prières. [...] Je lui ai été en tout et partout un serviteur inutile, me contentant d'être l'observateur des ouvrages du Saint-Esprit en elle, sans m'ingérer d'aucune chose, la voyant en si bonne main, de crainte de tout gâter[18].

Claude termine par une prière la dédicace adressée à sa mère :

Je vous offre donc, Verbe adorable, l'ouvrage de votre grâce, sans me réserver aucun droit que celui de l'admirer, et de vous rendre grâce des faveurs que vous y avez répandues avec tant de profusion qu'elles sont découlées

[18] *Correspondance*, Lettre XXXVI du père Jérôme Lalemant (de Québec), Jésuite à dom Claude Martin, été 1672, Appendice, p. 1019-1020.

jusqu'à moi. Mais avec la vie de la Mère, recevez celle du fils, afin qu'il mérite d'être écrit dans le livre de vos élus et qu'il puisse dire avec autant de confiance et de vérité que votre Prophète : « Ô Seigneur, je suis ton serviteur, le fils de ta servante » frère Claude Martin[19].

De l'approbation donnée par Mgr François de Montmorency-Laval à la vie de la vénérable Marie de l'Incarnation par dom Claude Martin, nous citons quelques extraits :

> Nous tenons à bénédiction particulière la connaissance qu'il a plu à Dieu nous en donner, l'ayant soumise à notre conduite pastorale, et le témoignage que nous en pouvons rendre est qu'elle était ornée de toutes les vertus dans un degré éminent, surtout d'un don d'oraison si élevée et d'une union à Dieu si parfaite qu'elle conservait sa présence parmi les différentes occupations où sa vocation l'engageait et au milieu de l'embarras des affaires les plus difficiles et les plus distrayantes. Elle était tellement morte à elle-même et Jésus Christ la possédait si pleinement que l'on peut assurément dire d'elle, comme l'Apôtre, qu'elle ne vivait pas, mais Jésus Christ en elle, et qu'elle ne vivait et n'agissait que par Lui. Dieu l'ayant choisie pour donner commencement à l'établissement des Ursulines en Canada, lui avait donné la plénitude de l'esprit de son Institut. C'était une parfaite supérieure, une excellente maîtresse des novices, elle était capable de tous les emplois de la religion. [...] Son zèle pour le salut des âmes et surtout pour la conversion des sauvages

[19] Dom Guy-Marie Oury, *Marie de l'Incarnation, 1599-1672*, t. II, Appendice 1, p. 581.

> était si grand et si étendu qu'il semblait qu'elle les portait tous en son cœur, et nous ne doutons point qu'elle n'ait beaucoup contribué par ses prières à obtenir de Dieu les bénédictions qu'il a répandues sur cette Église naissante. [...] Donné à Québec, le 12 novembre 1677[20].

Claude a été le premier éduqué de Marie de l'Incarnation. Pour son fils et pour tant d'autres personnes, elle aura été et elle est encore un précieux mentor. Digne fils d'une telle mère, sa grandeur d'âme le conduit à partager son héritage, soit les confidences de sa mère et leur intimité toute humaine et toute spirituelle.

Claude est décédé le 9 août 1696. Ils se sont alors retrouvés ensemble pour l'éternité, à jamais ensemble ! Puissent-ils se réjouir des effets de ce « nourrissement » précieux qui, chez leurs lecteurs, entraîne et encourage à continuer de bâtir l'Église canadienne. « Le Seigneur fit pour vous des merveilles ! »

Comment cela a-t-il pu se faire ?

Le regard posé sur le déroulement de la vie de Marie Guyart-Martin, devenue Marie de l'Incarnation, et cette longue écoute d'une vie en beauté, révèlent l'œuvre et la puissance de l'Esprit Saint dans l'âme fidèle. La parabole du levain déposé dans beaucoup de farine[21] illustre au mieux notre admiration. Fallait-il que Jésus connaisse

---

[20] Voir dom Claude Martin, *Écrits spirituels et historiques. La Relation de 1654*, t. I, p. 117.

[21] Voir Lc 13, 20-21.

la puissance du Royaume de Dieu au milieu de nous[22] pour le révéler dans l'image d'un geste aussi étrange : du levain enfoui dans beaucoup trop de farine !

Marie de l'Incarnation et deux consœurs ursulines, Madame de la Peltrie, des femmes généreuses, mais pauvres, des immigrées ignorant les langues dont elles auront un absolu besoin dans un pays immense et peu connu, peuplé de nations bigarrées... Ces missionnaires montent dans une frêle embarcation sur un océan qui se déchaîne selon les caprices de la nature ! Elles décident de s'enfouir dans l'inconnu, comme du « levain » dans beaucoup trop de farine...

Envoyé du Père, dans la puissance de l'Esprit, pour transformer le monde en un Royaume d'enfants de lumière, Jésus envoie ces femmes qu'il remplit de son Esprit. Il les rend capables, avec lui et par lui, de s'enfouir dans un pays bien trop grand pour elles seules.

Quel est ce « moteur » qui les propulse dans ce don de leur vie ? Toutes, elles avaient été marquées du sceau de l'Esprit par leur baptême. De plus, Marie de l'Incarnation en avait été comblée dans une expérience semblable à une « pentecôte ». Chargés de mission, unis dans le partage du labeur du Rédempteur, hommes et femmes, ces Bâtisseurs, ont été ce « levain » qui a fait se lever l'Église canadienne.

À vous, bienheureuse Marie de l'Incarnation, à vous, sœur Marie de Saint-Joseph, à vous sœur Cécile de la Croix, à vous Madame de la Peltrie, à vous toutes

---

[22] Voir Lc 17, 21.

ursulines venues établir une communauté « fondée pour le salut des âmes », notre profonde reconnaissance.

À vous aussi les cinq ursulines qui avez essaimé à Trois-Rivières en 1697 pour ériger une école et un hôpital, notre reconnaissance. Dans cet hôpital, pendant près de deux cents ans, des malades et des blessés de guerre ont été soignés quelle qu'ait été leur nationalité. L'école érigée par vos soins continue l'œuvre d'éducation si bellement commencée par vous. Les Ursulines de Trois-Rivières et notre Église vous doivent à vous aussi notre gratitude. Vous avez été le levain qui se laisse enfouir et qui meurt pour donner la vie.

Béatification de Marie de l'Incarnation

L'Église catholique romaine a reconnu officiellement la valeur évangélique de l'existence de Marie de l'Incarnation. Le pape Jean-Paul II, à Rome, l'a déclarée Bienheureuse le 22 juin 1980. Les Ursulines, dispersées à travers le monde, ajoutèrent leur voix aux Ursulines de France et à celles du Canada pour affirmer leur joie et leur reconnaissance au Seigneur et à l'Église.

Dans son homélie, à l'imposante célébration de sa Béatification, Jean-Paul II exprima son admiration envers elle :

> Marie de l'Incarnation [Marie Guyart] a été justement appelée Mère de l'Église catholique au Canada. [...] Âme profondément contemplative, engagée cependant dans l'action apostolique, maîtresse de vie spirituelle, au

point que Bossuet l'a définie la « Thérèse du Nouveau Monde », et promotrice d'œuvres d'évangélisation, Marie de l'Incarnation unit en elle, de manière admirable, la contemplation et l'action.
En elle la femme chrétienne s'est réalisée pleinement et avec un rare équilibre, dans ses divers états de vie : épouse, mère, directrice d'entreprise, religieuse, mystique, missionnaire, et cela toujours dans la fidélité au Christ, toujours en union étroite avec Dieu[23].

[23] *La Documentation catholique*, nº 1791, 17 août 1980, p. 781.

CONCLUSION

Des sages prennent la parole et leurs auditeurs souhaitent tout saisir de la lumière et de l'espérance qui jaillissent de leur personne et de leur discours, car leur sagesse est beauté.

De même, Marie de l'Incarnation prend la parole, une parole de sagesse. L'ursuline, mystique et missionnaire, attise chez ses lecteurs le désir de se désaltérer avec elle de sa lecture de l'Écriture sainte et de se rassasier de ce « nourrissement » à saveur de vérité et de vie.

Qui écoute cette grande et humble dame s'émerveille de sa beauté de mère, de femme consacrée, de mystique. Femme d'affaires, elle n'envie rien à la masculinité, conservant son entière autonomie et sa féminité. Chef de corvée, sur les traces des grands explorateurs de son époque, cette religieuse cloîtrée entraîne avec elle des compagnes. Vaillantes femmes de foi, elles traversent l'Atlantique.

En 1535, en Italie, Angèle Mérici fondait la communauté des Ursulines. Un siècle plus tard, héritière du charisme fondateur reçu de l'Esprit Saint, Marie de l'Incarnation est chargée de mission par le Seigneur. « Pierre vivante », elle vient « bâtir une Église au Canada ». Au même titre que les autres bâtisseurs, Marie de l'Incarnation est reconnue comme « fondatrice de l'Église canadienne ».

L'auteure de ce présent ouvrage ne fait pas partie de la table des maîtres, spécialistes de la vie spirituelle de Marie de l'Incarnation. Mais pour elle, ramasser les miettes qui tombent de la table des « grands », comme la femme de l'Évangile, lui a donné l'occasion de se nourrir de la grandeur d'âme et de la beauté spirituelle de celle qui vint implanter la communauté des Ursulines à Québec.

Selon son expression à la fin de la *Relation*, puisse ce « petit crayon » éveiller chez le lecteur le désir de faire plus ample connaissance de la Bienheureuse Marie de l'Incarnation. Qu'elle lui devienne ainsi un mentor et l'aide à découvrir jusqu'où l'Esprit peut rendre une âme fidèle, chaque personne étant une œuvre originale de Dieu !

BIBLIOGRAPHIE

DEL ROSARIO ADRIAZOLA, Maria-Paul, *La connaissance spirituelle chez Marie de l'Incarnation*, La « Thérèse de France et du Nouveau Monde », Sillery/Paris, Anne Sigier/Cerf, 1989, 403 p.

FOUQUERAY, Marie-Dominique, *Marie Guyart de l'Incarnation. Un destin transocéanique*, Actes du Colloque à Tours 1999, textes réunis par F. Deroy-Pineau, Paris/Montréal, L'Harmattan, 2000, 415 p.

GERVAIS, Pierre, *Marie de l'Incarnation. Études de théologie spirituelle*, Bruxelles/Namur, coll. Vie consacrée (13), 1996, 211 p.

JAMET, dom Albert, *Le Témoignage de Marie de l'Incarnation, Ursuline de Tours et de Québec*, texte préparé et publié avec une Introduction par dom Jamet, Paris, Gabriel Beauchesne, 1932, 350 p.

MARTIN, dom Claude, *La vie de la vénérable mère Marie de l'Incarnation*, reproduction de l'édition originale de 1667, préparée par les moines de Solesmes, 1981, 755 p.

—, *Écrits spirituels et historiques. La Relation de 1654*, t. II, réédités par dom Albert Jamet, Paris, Desclée de Brouwer, 1930.

NADEAU-LACOUR, Thérèse (dir.), *Il suffit d'une foi. Marie et l'Eucharistie, chez les Fondateurs de la Nouvelle-France*, Québec, Anne Sigier, 2008, 245 p.

OURY, dom Guy-Marie, *Autobiographie de Marie de l'Incarnation. La Relation de 1654*, préface de dom Guy-Marie Oury, éd. Abbaye de Solesmes, 1976, 132 p.

—, *Marie de l'Incarnation. Ursuline, 1599-1672. Correspondance*, Solesmes, nouvelle éd. Abbaye St-Pierre, 1971, 1071 p.

—, *Marie de l'Incarnation, 1599-1672*, Québec/Solesmes, Les Presses de l'Université Laval, Abbaye St-Pierre, 1973, t. I : 311 p. ; t. II : 607 p.

—, *Dom Claude Martin, le fils de Marie de l'Incarnation*, éd. Abbaye de Solesmes, 1983, 346 p.

TABLE DES MATIÈRES

Achevé d'imprimer
sur les presses de
Imprimerie H.L.N.
Imprimé au Canada - Printed in Canada